PETER HANDKE

par
G.-A. Goldschmidt

LES CONTEMPORAINS · SEUIL

ISBN 2-02-010041.X

A Jeanne Moreau,
avec amitié et en mémoire de
la Chevauchée sur le lac de Constance.

Introduction

On ne peut décrire l'œuvre de Peter Handke qu'à partir de ce point précis où l'autre la reconnaît. L'intimité la plus grande est aussi l'anonymat le plus extrême. Toute la méthode de Peter Handke est précisément là : parvenir, à force de concentration, à ce point d'intimité où celui qui écrit bascule en celui qui le lit. C'est cela, le sens de l'écriture de Peter Handke, c'est cela, sa grandeur, et c'est cela sa simplicité. Le seul but de ce petit livre est de contribuer à faire *lire* Peter Handke, non de parler à sa place.

Dans le travail entrepris ici, certains aspects seront plus soulignés que d'autres ; nécessairement, cette étude sera à la fois incomplète et insuffisante, mais il s'agissait avant tout de suivre un certain *fil* de lecture. Ces pages ne veulent rien d'autre que montrer au lecteur ce qu'il savait déjà. Elles veulent le confirmer dans sa lecture, car il n'y a rien d'exceptionnel, rien de particulier chez Peter Handke, son « élection » n'est que témoignage, son « génie » n'est qu'attention. Il dit de façon juste – et tout son effort est dans cette justesse – ce que chacun a déjà ressenti, mais à quoi peut-être les impératifs et les obligations de la vie quotidienne lui ont interdit de prêter attention. L'œuvre de Peter Handke se révèle d'emblée familière au lecteur ; c'est cette familiarité que ces pages voudraient contribuer à explorer et à transmettre.

Peu d'écrivains ont autant influé sur le regard de leurs lecteurs que Peter Handke. Dès qu'on aborde l'un de ses textes, quelque chose s'ouvre, on reconnaît ce qui est écrit. Le lecteur ne découvre rien d'exceptionnel, rien d'extraordinaire. Handke ne veut rien inventer de nouveau, ni produire du jamais vu, mais, conduit par un « malaise » intérieur infaillible qui lui fait voir l'« appris » de façon presque immédiate et instinctive, il libère le lecteur de ce même système d'obligations et instaure presque aussitôt la vérité des choses, car l'œuvre de Peter Handke fait voir ce qui est, elle rétablit les faits par l'extrême précision de l'écriture. Tout ce qui, chez chacun, du fait même des nécessités de la vie quotidienne et des obligations, s'est arrêté à mi-chemin, à frange de conscience, sous-jacent et informulé, se trouve, tout à coup, exprimé clairement par les textes de Handke. C'est comme si chaque lecteur retrouvait ce qu'il a déjà entendu, comme si une voix grandissait en lui qu'il reconnaît, comme s'il voyait soudain ce qu'il n'a jamais regardé ainsi. C'est un peu comme lorsqu'on change d'itinéraire dans une ville familière : tout ce qu'on connaît si bien apparaît comme on ne l'avait jamais encore vu.

Traduite dans presque toutes les langues du monde, l'œuvre de Handke modifie en profondeur cette zone intime où la pensée et le réel se touchent. A l'écart de toute obéissance politique, de toute soumission aux flots de l'histoire, elle est tout à la fois engagée et *rebelle,* parce qu'inassimilable à toute convention. La portée de l'écriture – c'est uniquement d'elle qu'il sera question – vient de ce qu'elle s'engage *autrement.*

L'engagement politique de l'œuvre littéraire enlève à celle-ci sa force, contrainte qu'elle est d'utiliser des formes et des images déjà mécanisées par leur usage répétitif[1]. C'est au moment précis où elle dénonce explicitement que l'œuvre de l'écrivain cesse de « dénoncer ». C'est ce qu'exprime Peter Handke lorsqu'il écrit dans un texte intitulé *A l'abri sous la boîte crânienne*[2] :

« Il y a bien des années, je regardais l'une de ces photos de camp de concentration, déjà devenues usuelles : quelqu'un la tête rasée, avec de grands yeux et les joues creusées, était assis sur un tas de terre au premier plan. Une fois de plus ! Et je contemplais la photo avec curiosité, mais déjà sans souvenirs ; cet être humain photographié s'était volatilisé en un symbole interchangeable. Tout à coup, je remarquai ses pieds. Ils étaient tournés l'un vers l'autre et se touchaient par la pointe, comme parfois chez les enfants, et, à voir ces pieds, je sentis la pesante fatigue qui est l'une des manifestations de la peur. Est-ce une expérience politique ? Toujours est-il que la vue de ces pieds tournés l'un vers l'autre nourrit ma fureur et mon horreur depuis des années, jusqu'au sein des rêves et jusqu'au sortir des rêves, et c'est elle aussi qui me rend capable de perceptions pour lesquelles, à cause des concepts usuels qui sans cesse veulent amener le monde à un point une fois pour toutes définitif, je serais resté aveugle. Je suis convaincu du pouvoir qu'a la pensée poétique de dissoudre les concepts et donc de ce qu'elle contient de force d'avenir. »

Dans ce texte écrit pour la remise du prix Büchner qui lui fut attribué en 1972, Peter Handke définit à la fois sa poétique et sa politique. Comme dans chacun des textes non spécifiquement poétiques ou comme dans chacun des entretiens qu'il a accordés, on voit ici la rhétorique voler en éclats et la vérité se fait jour. Et la question se pose dans toute sa force, qu'Adorno formulait naguère ainsi : « [...] écrire un poème après Auschwitz est barbare [...] » (*Prismes,* Payot, 1986). C'est qu'il est, en effet, peu d'œuvres littéraires de notre temps à remettre autant que celle de Peter Handke en question la pratique conceptuelle, idéologique et littéraire habituelle.

Pour en déceler la portée, il importe de suivre l'œuvre de Peter Handke selon le déroulement de son *éclosion,* c'est-à-dire sa durée propre ; on verra ainsi que, si chaque livre de Handke a une existence tout à fait indépendante, il n'en est pas moins dans la continuité même de cette durée qui se manifeste dans chacune.

La *description* chronologique a peut-être pour avantage de préserver la logique interne de l'œuvre. Quinze ans de fréquentation quotidienne de celle-ci permettent peut-être d'en poser les intentions que l'effort de traduction a tant bien que mal contribué à mettre au jour.

Fresneaux, décembre 1987.

1

D'où part le regard : les premiers récits

Les mots et les choses

Presque immédiatement, le fracas a retenti autour de la voix juste qui parlait de manière si précise de petits faits irréfutables. *Die Hornissen (les Frelons),* le premier livre publié par Handke, paru en 1966 aux éditions Residenz, à Salzbourg, attira immédiatement l'attention.

En 1964, il avait alors vingt-deux ans, Handke avait publié, dans la revue autrichienne *Manuskripte,* des textes réunis ensuite pour la plupart dans *Bienvenue au conseil d'administration.* Dès 1963, Peter Handke avait, jeune étudiant en droit à l'université de Graz, travaillé sur *les Frelons,* dont le lieu central est largement inspiré de Griffen, son village natal. Peuplé d'une forte minorité de Slovènes (lui-même est slovène par sa famille maternelle), ce village de Carinthie joue un rôle certain dans la mise en place de l'imaginaire de Handke. Le cimetière de ce village, par exemple, et les trois chemins qui s'en écartent se retrouveront ainsi dans *Par les villages.*

Dans *les Frelons,* traduit en 1983 par Marc B. de Launay, tout part du regard dont le « centre » est figuré par le frère aveugle. L'histoire racontée : un livre lu il y a des années de cela déclenche tout à coup le déroulement du souvenir, souvenir anonyme dont on ne sait s'il appartient au narrateur ou au lecteur. Tout est décrit avec la plus grande précision et la plus grande minutie, et maints lecteurs autrichiens, Hans Widrich par exemple, ont parfaitement reconnu le village natal de Handke reproduit dans ses moindres détails.

Le Stift *(couvent) de Griffen,
village natal de Peter Handke,
et une partie du cimetière qui figurera dans*
Par les villages.

Le sujet du livre, c'est la mort d'un jeune garçon noyé à la suite d'un pari avec son frère aveugle qui identifie tous les bruits pendant qu'on rapporte le cadavre de son frère. On ne raconte pas une histoire, mais une infinité d'histoires possibles. Chaque chapitre est précédé d'un titre en italiques fait d'un seul mot, mais dont le pouvoir d'évocation est d'autant plus grand qu'il est plus concret : *La fuite, Le chien, La clef,* ou bien le titre est fait d'un groupe nominal : *L'inscription sur le mur,* ou *L'homme au sac de marin,* ou encore *Le visage du père.* Chacun de ces passages, à la fois très court et très dense, opère une recréation poétique de la réalité.

Les bruits

« Le vent brûlant pousse la poussière par la fenêtre. J'entends le bruit du rideau. J'entends le bruit du sable qui frappe la vitre. J'entends le bruit de l'armoire ouverte. J'entends le bruit des feuilles mouillées sur les arbres. J'entends le bruit de l'herbe sous les arbres. J'entends le bruit du garde-boue de la bicyclette. J'entends le bruit du fil de fer entre les peupliers. J'entends le bruit du pneu qui pend contre la grange. J'entends le bruit des vêtements mouillés sur le fil. J'entends le bruit de la porte du hangar qui bat contre le tas de bois. J'entends le bruit d'un train qui passe. »

On voit déjà se dégager l'un des caractères essentiels de l'écriture de Peter Handke, l'exactitude de la description. La précision est ici portée à sa plénitude, c'est elle qui fait la généralité d'une sensation que chacun peut reconnaître comme la sienne. Quand la précision est à sa plénitude, la durée est à sa richesse, pourrait-on dire à l'imitation de Cézanne (« Quand la couleur est à sa richesse, la forme est à sa plénitude », disait celui-ci).

« Pendant que le train roule, pendant que la porte est ouverte, pendant qu'on joue aux cartes à l'auberge du village, pendant que le projectionniste s'est étendu sur trois chaises devant la porte ouverte de sa cabine, le frère, lui, est mort noyé. »

On voit ainsi s'instaurer une démarche très précise, car ce qui est confus ne peut être décrit et échappe à la formulation. Ce qu'il importe de saisir, c'est la « sensation » telle qu'elle se manifeste dans l'enfance, immédiate, non encore travestie par l'utilité et les nécessités quotidiennes. Description fermée, en somme, des objets, mais situation de ceux-ci dans une durée et un ensemble de relations dont peut, à tout instant, naître une histoire.

Il s'agit de cacher encore à la sœur la mort du frère dont on est en train de rapporter le cadavre. Le père, pendant ce temps, fait route au milieu des roseaux :

> « Mais si je laissais la nouvelle franchir mes lèvres, je pourrais modifier ce déroulement naturel, et ce serait différent. Mais avant que je ne les prononce, les mots m'échappent et se décomposent en syllabes et en lettres que je ne suis plus capable de rassembler. »

Déjà se dessine l'essentiel de l'effort de concentration de Handke, apparemment très proche du « nouveau roman ». Dans un court texte théorique daté de 1967, intitulé *Je suis un habitant de la tour d'ivoire*[3], Handke écrit que Robbe-Grillet est parmi ceux qui ont changé sa « conscience du monde ». Le « nouveau roman », en effet, dans son entreprise de destruction de la rhétorique, a tenté de traverser les modèles grammaticaux tout faits pour retrouver ce qu'ils signifient.

Malgré l'exactitude et la précision des descriptions, il n'y a jamais réalisme ou naturalisme.

> « Dans le hangar, je me suis glissé sur le tas de bois le long du mur, as-tu dit. J'ai soulevé l'échelle de son crochet. Je l'ai laissé glisser entre mes mains vers toi. J'ai posé de biais l'échelle sur le tas de bois. »

Différente de la description du nouveau roman, elle fait coïncider chez Handke l'objet avec le geste, ouvre donc sur un déroulement et oblige, de ce fait, à une constante réflexion sur le rapport apparemment évident et donné une fois pour toutes avec le monde extérieur.

Peter Handke, en 1950, à Griffen,
avec sa sœur et un petit voisin.

Ainsi dans *les Frelons,* le retard mis à annoncer la mort du frère est le sujet même du récit. C'est le déroulement inverse de celui du *Message impérial,* de Kafka. Dans l'un et l'autre récit, l'intervalle dit l'essentiel. Tout comme chez Kafka, dont la découverte fut pour Handke capitale, comme le fut celle d'Albert Camus ou de Faulkner, c'est l'attente qui inquiète le lecteur. Tout ce qui se passe est recouvert par ce que le lecteur sait : le frère est mort. Tous les objets, tous les éléments de la réalité sont comme teintés par la *teneur* mentale (l'angoisse) où ils se situent.

Ce n'est pas pour rien qu'à plusieurs reprises dans ce roman les mots sont explorés quant à leur contenu, comme c'est le cas pour des expressions telles que « il arrive que » ou « se cacher » (p. 113 ou 174), comme si les mots, en effet, dissimulaient la réalité dont ils sont censés parler.

Quinze ans plus tard, l'attention de Peter Handke ne s'est en rien relâchée. Sa démarche est restée la même, puisqu'il écrit dans *Images du recommencement (Phantasien der Wiederholung)* :

> « N'oublie pas que ce qui est proche, le vert et les feuilles qui bougent, se trouve de l'autre côté du mur de la poitrine : ce mur fait de tous ces discours qu'on t'a tenus et de tes discours à toi » (p. 35).

Par ce premier roman, *les Frelons,* Peter Handke ne prenait pas, comme on l'a souvent dit, le contre-pied de la littérature telle qu'elle se faisait au milieu des années soixante, mais il la forçait à s'interroger sur les moyens qu'elle employait. C'est cela et rien d'autre qu'a voulu expliquer Peter Handke, en 1966, lors de la réunion du Groupe 47, à Princeton.

Le Groupe 47 était issu de l'interdiction, par les autorités d'occupation américaines, de la revue *Der Ruf (l'Appel),* très à gauche et en faveur d'une étroite collaboration avec les écrivains de la zone soviétique, ce qui déplaisait fort à celle-ci. Les écrivains Hans Werner Richter, Heinrich Böll, Günter Grass, Walter Jens et Walter Höllerer sont les principaux représentants de ce groupe.

Autour de ces écrivains se construit un édifice théorique dont aucun d'eux, et surtout pas Böll, n'est le « théoricien ». Dès l'origine, on est ainsi en plein malentendu : le réalisme est la voie obligée de l'expression littéraire, il s'agit de dénoncer la réalité du monde industriel et capitaliste en la décrivant avec précision, c'est ainsi seulement qu'il sera possible de la transformer.

En 1966, le Groupe 47 a tenu sa réunion annuelle à l'université de Princeton, et Peter Handke est venu dire que l'unanimité littéraire que le Groupe représentait n'était que de pure façade, qu'elle n'était qu'un faux-semblant. Mais il a surtout montré aux membres du Groupe que ce qu'ils prenaient pour la réalité n'était que la réalité du langage. Les textes lus pendant la session du Groupe étaient jugés en fonction de la réalité de l'objet qu'ils décrivaient et non, comme cela aurait dû être le cas, en fonction de la réalité ou plutôt des impératifs du langage, tel qu'il est mis en place et réemployé sans examen. Lorsque les auteurs du Groupe croient pouvoir enfin « cerner la réalité de la République fédérale » pour la dénoncer, ils ne font en réalité que la reproduire, ils utilisent de manière irréfléchie la langue à l'aide de laquelle il est possible de pérenniser n'importe quelle forme d'oppression, d'autant plus aisément qu'on s'interroge moins sur l'usage de la langue. C'est sur la défaillance fondamentale de l'entreprise littéraire à l'égard de la littérature qu'a voulu s'interroger Handke[4].

Les choses et les mots

Si la mort ne cessait d'être présente dans *les Frelons,* elle l'est plus encore dans *le Colporteur*[5]. Si, dans *les Frelons,* elle était accidentelle, dans *le Colporteur,* elle est meurtre volontaire. Ce livre a été écrit de 1965 à 1966, en partie à Graz où Handke étudiait le droit, dans une cave où un groupe rock répétait, pendant que lui-même tapait son livre, sans que le bruit ne le trouble le moins du monde. Ce court roman contient en germe déjà toute l'œuvre future de Handke, issue du resserrement né de la peur et de l'angoisse, mais dont naît une acuité sensorielle toute particulière : « Il s'exerce même à observer dans l'effroi », note Handke, à propos du *Colporteur*. Plus l'effroi est grand, plus le regard se fait précis. La description devient dès lors l'expression de cet effroi. C'est pourquoi Peter Handke a pu dire, dans le texte qu'il a écrit à propos de la rencontre de Princeton :

> « Je n'ai rien contre la description, je vois bien plutôt la description comme un moyen nécessaire pour parvenir à la réflexion. Je suis *pour* la description, mais non pour la manière de description telle qu'elle est proclamée de nos jours en Allemagne comme un "nouveau réalisme". On méconnaît, en effet, que la littérature est faite avec la langue, et non avec les objets décrits par la langue[6]. »

Les premiers mots du *Colporteur* introduisent au cœur de cette réflexion sur la langue et au cœur donc de la méthode de Peter Handke. On pourrait définir celle-ci comme le refus presque physique du laisser-aller selon les pentes toutes préparées de l'usage préformé et préétabli de la langue. « L'histoire du meurtre commence, comme toutes les histoires, en tant que suite d'une autre histoire. »

Dès le début, le soupçon pèse sur le colporteur : il marche et agit sous le poids permanent de cette suspicion qui infléchit sa perception de ce qui l'entoure. Mais, dès avant même que la suspicion ne s'exprime comme telle, l'angoisse l'étreint :

> « Dans cet environnement étranger, il ne retrouve pas même les noms des objets. Lorsque son vis-à-vis rejette en riant la tête en arrière, il lui présente sa gorge. »

Le détail, ici, fait voir à la fois l'abîme de la mort et de la peur, et la solitude des destins. La description doit changer le regard et le regard faire réapparaître les mots. Les objets sont les objets de l'inquiétude, tout est comme verni, recouvert de cette couche transparente qui isole tous les objets derrière cet écran de la peur. La décrire est la meilleure façon d'en faire sentir l'horreur.

Le colporteur est le témoin à la fois du meurtre et de l'identification du coupable. Le meurtre a pour fonction de décaler la réalité et de la montrer telle qu'elle apparaît à travers cette tension extrême. La suspicion et l'angoisse aiguisent le regard et le contraignent à une « mise au point » qui en accentue les caractères particuliers. Ce sont eux que l'effort d'écriture révèle, et l'effort littéraire de Handke est ici très proche de celui d'Albert Camus, dont *l'Étranger* fut pour lui une découverte littéraire majeure. *Le Colporteur,* mais surtout *l'Angoisse du gardien de but au moment du penalty* sont des confrontations avec Camus sur le plan de l'écriture, mais aussi sur le plan de l'intention, puisqu'il s'agit, pour l'un comme pour l'autre, de déceler le mécanisme selon lequel l'injustice fonctionne au sein du langage. L'effroi en est la manifestation :

> « Malgré lui, il écoute avidement. Il s'exerce même à observer dans l'effroi. S'il avait maintenant besoin d'aide, il ne demanderait pas, au milieu de la pièce vide, s'il y a *quelqu'un,* mais s'il n'y a personne. Il ne peut se réfugier dans nul sous-bois. »

Si l'inventaire de la réalité se contente d'en énumérer les composantes selon leur succession fortuite, l'acte littéraire tel que Handke le conçoit dans *le Colporteur* en révèle, au contraire, la disposition nécessaire selon la logique de la peur. Chaque détail rend dès lors compte de cet univers coloré par la peur et la suspicion :

> « Afin que la cigarette ne lui tombe pas de la bouche, il incline la tête en arrière lorsqu'il rit. »

Ou bien :

> « Tout à coup, un objet lui tombe de la main qu'il tenait depuis tellement longtemps qu'il ne le sentait même plus. »

Ou encore :

> « Personne ne se penche pour rattacher le lacet. Le colporteur remarque une verrue à la première phalange du pouce ; bien qu'il fasse déjà très chaud dans la pièce, il s'élève de la vapeur du liquide qu'on y apporte. »

L'art commence exactement là où le regard prend le pas sur le réel. Écrire, c'est inventer ce point invisible – qu'on verra apparaître dans *la Leçon de la Sainte-Victoire* et autour duquel tout le réel se dispose. Dans *le Colporteur,* on voit la réalité à la fois s'exorbiter (dans la peur) et reprendre sa place. Elle est soudain devenue vérité, parce qu'elle est vue à travers l'angoisse de quelqu'un. C'est ainsi que Handke retrouve la justesse du regard humain :

> « Après avoir baissé la tête, il n'arrive même plus à se représenter l'allure de son vis-à-vis. »

Le regard, ici, est celui de l'homme traqué. Autour de lui, tout peut receler un danger ; son attention doit donc être concentrique, globale et ne négliger aucun détail.

Le langage tel qu'il est constitué ne me permet pas de m'innocenter ou du moins de faire passer aux autres l'état intérieur de celui qui est poursuivi : tout le travail de Peter Handke, c'est de rendre le langage à celui dont la situation intérieure paraît intransmissible, incommunicable. (C'est le cas, par exemple, de l'innocent accusé.)

> « Et si le poursuivant supposé ne le suivait de si près que parce que lui-même se croit poursuivi ? »

Que se passe-t-il exactement pendant qu'on a peur ? Quel est le langage qui s'impose alors, mais que l'effroi dérobe ? C'est cela que Peter Handke tente d'élucider dans les onze têtes de chapitre imprimées en italiques. Ce sont, en somme, des indications de scène, destinées à « démasquer » *(entlarven)* les apparences, le système même de l'ordre qui permet, au moyen de la langue, d'accuser

Hermann Lenz et Peter Handke.
C'est Peter Handke qui fit redécouvrir
l'importance de cet écrivain.

un innocent. Mais les moyens de l'accusation permettront aussi au colporteur soupçonné de prêter davantage d'attention à la réalité, de trouver et de démasquer le vrai coupable.

Peter Handke s'est, en 1971, un an après la réédition du *Colporteur,* publié pour la première fois en 1967, expliqué sur la signification de son roman, dans un texte intitulé *Sur mon nouveau roman « le Colporteur*[7] *».* L'histoire policière est une grille destinée à exprimer la réalité, « ma réalité », la réalité de celui qui pourrait être poursuivi. Ce schéma narratif, écrit Handke dans ce texte, a été le modèle même de

> « la représentation de la terreur, de la peur de l'effroi, de la persécution, de la torture, de l'angoisse de la douleur ».

En quoi et comment ce schéma établi et mis au point depuis bien longtemps peut-il encore rendre compte de « ma » réalité, de « mon » angoisse, de « mon » effroi ?

Les situations décrites dans *le Colporteur* sont à la fois insignifiantes et extrêmes pour celui qui les éprouve ; elles sont le seul moyen pour remettre en cause l'« accréditation » du langage évident et naturel, semble-t-il, mais qui n'est que l'instrument par lequel la peur est légitimée. Le glissement harmonieux des phrases à l'intérieur d'un ordre établi d'avance et disposées comme on s'y attend détourne de ce qui est réellement en jeu. C'est bien pourquoi les phrases du texte ne se succèdent ni logiquement ni discursivement, mais selon la structure « alogique » de l'angoisse, seule en mesure de faire vraiment apparaître la réalité :

> « De même, écrit encore Handke, que dans l'effroi les objets n'ont plus rien à voir les uns avec les autres, de même ici, dans l'effroi, les phrases n'ont plus rien à voir les unes avec les autres. Chaque phrase est là pour elle seule. »

La rupture avec la succession logique est destinée à permettre au lecteur de se revivre lui-même, car c'est bien lui, le lecteur, qui est ou peut être le sujet ou l'objet de l'histoire : il occupe à la fois le centre de l'espace au sein duquel il se déplace et où les objets se trouvent, et en même temps il éprouve (sujet) ce qu'éprouve le colporteur. C'est la raison pour laquelle Handke termine son petit texte sur *le Colporteur* par les lignes suivantes :

« Le roman ne se passe ni à Los Angeles, ni à Berlin-Ouest, ni en hiver, ni en automne ; il se passe dans le lecteur quand il le lit, et, en ce cas peut-être aussi, à Los Angeles et à Berlin-Ouest, en automne et en hiver, au cinéma entre la première partie et le film proprement dit. »

Le « projet » d'écriture de Peter Handke est donc, on le voit, nettement tracé dès ce deuxième roman : faire advenir en un même moment le lecteur et le livre, l'un par l'autre et l'un en même temps que l'autre.

Pour que le texte atteigne le lecteur, il est nécessaire de déjouer les pièges du langage, d'en révéler le fonctionnement en en décalant l'usage avant de le réutiliser à ces fins très anciennes et pourtant très nouvelles que sa nature lui assigne. Telle est peut-être l'une des raisons d'être du recueil intitulé *Bienvenue au conseil d'administration* (1967).

Dans l'essai consacré au Groupe 47, Handke écrit encore :

« On ne se rend pas compte qu'il est littéralement possible de fabriquer n'importe quoi au moyen de la langue. Il n'est pas nécessaire d'énumérer toutes ces choses déjà fabriquées au moyen de la langue ou qu'on continue à fabriquer. On néglige à quel point la langue est manipulable en vue de toutes les fins sociales ou individuelles. »

Tout l'art de Handke, dans ces récits regroupés sous le titre *Bienvenue au conseil d'administration* et qui furent publiés d'abord dans des journaux et des revues, sera précisément de mettre au jour cette manipulation. C'est parce que chacun de ces textes décrit une série de faits d'une précision visuelle extrême que ce dysfonctionnement de la langue se manifeste de façon presque gestuelle.

Le premier texte, qui a donné son nom au recueil, montre comment la langue est capable de n'importe quoi : elle peut parler de tout, de la neige, d'un seau, d'une luge, de la mort d'un enfant avec la même objective indifférence.

« Je vais vous dire les résultats qu'à donnés la vérification du bilan. Il n'y a pas, en effet, de motifs d'inquiétude ; je peux vous assurer que la gestion de la direction est juridiquement inattaquable. Venez plus près, s'il vous plaît, si vous ne comprenez pas ce que je dis. Je suis au regret de vous accueillir, ici, dans de telles conditions ; cela ne se serait pas produit si l'enfant n'était pas passé juste devant l'auto avec sa luge. »

Le lecteur se dit malgré lui, un instant durant, qu'en effet si l'enfant n'avait pas été écrasé tout aurait pu être prêt pour accueillir les actionnaires venus toucher leurs dividendes. Dès le début du texte, la mort de l'enfant et la salle non préparée pour le conseil d'administration sont des faits grammaticalement équivalents ; on pourrait très bien ne pas remarquer la mort de l'enfant parmi les autres faits. Le rond de neige blanche que le seau trace sur le sol noir de la grange et le rond noir que le seau trace dans la neige, la tempête souffle, la charpente craque, la limousine écrase l'enfant du paysan : tout s'équivaut. La langue permet de tout « ficeler » avec la même efficacité et la même indifférence.

Dans ces « nouvelles », Handke transpose à d'autres fins les moyens littéraires classiques. Il écrit comme Heinrich von Kleist, comme Karl Philipp Moritz ou comme Kafka, dont il « détourne » le style. A l'extrême fin du récit qui a donné son nom au recueil, le discours s'effiloche et disparaît dans la mort, c'est la raison pour laquelle il n'y a pas de point final.

Dans le texte intitulé *Épreuve n° 2*, écrit comme une anecdote de Heinrich von Kleist, la parole reste en suspens, annulée, évidée par ce qui arrive. Ce court texte mène au cœur de ce « sursaut » presque physiquement au départ de toute l'écriture de Handke. *Anecdote 2* résume tout l'art de Handke : la cohérence et la logique de l'action, l'exactitude de la description et l'absurde horreur de ce qui est raconté en font une « fable » où l'écriture se superpose avec une absolue rigueur à ce qu'elle raconte : pour montrer qu'il n'est pas coupable de la mort de son enfant qu'il a lancé en l'air pour l'amuser, un homme prend

> « l'autre enfant des bras de sa femme, également présente dans la salle d'audience, s'avance et lance l'enfant en l'air ; l'enfant tombe, lui glisse des mains, frappe le sol et meurt ».

Mais, bien loin d'en rester à la constatation de cette insuffisance, bien loin de se contenter de signaler toutes les ruses du langage, Peter Handke montre au contraire que le langage est la matière même du monde où nous vivons. C'est d'ailleurs ce qu'il écrira lui-même : « Maintenant je suis sur la trace d'une autre *matérialité* des phrases[8] », de même qu'il a dit aussi un jour : « Le langage est la seule chose que nous ayons. »

Le meilleur exemple en est donné, peut-être, par le texte intitulé *État de siège,* où la langue juridique est employée à la fois dans sa perfection et dans son absurdité. Aux § 3, 4 et 7, est définie la procédure de condamnation à mort de condamnés ignorant la langue du pays et qui ne peuvent donc avoir conspiré contre celui-ci :

> « On veillera d'autre part à ce qu'une personne soit disponible en tant qu'interprète pour les condamnés ne connaissant pas la langue du pays. »

Ou encore :

> « Il [l'accusé] peut introduire un recours pour incapacité ou partialité de l'interprète. »

On ne voit pas très bien comment un accusé ne connaissant pas l'autre langue pourrait s'apercevoir de la partialité ou de l'incompétence de l'interprète.

Tout aussi dérisoire et tragique le détail au § 11, où le condamné qui va être exécuté rentre le pan de sa chemise dans son pantalon.

Dans *A propos de la mort d'un étranger,* un jeune garçon trouve un cadavre au fond d'une casemate, mais la mort ainsi entrevue devient un objet interdit sur lequel il garde le silence, comme sur la découverte la plus angoissante et la plus intime. Le langage à la fois dissimule et montre l'interdit.

Des textes comme *l'Incendie* ou *l'Inondation* révèlent très exactement l'art de Handke : démasquer la langue, mais aussi la faire parler par sa précision même, par sa densité visuelle. La force du récit provient de son déroulement visuel, c'est le regard qui, comme au cinéma, restitue l'horreur. *Le Gibet,* ainsi, est construit à partir d'un western célèbre. (Le western et les films de John Ford en particulier ont joué un rôle essentiel dans l'établissement de l'imaginaire de Peter Handke.) L'œil peut suivre avec exactitude tous les événements : *les Paroles et les Actions du père dans le champ de maïs* en donnent un exemple très net. Il n'y est rien dit qui ne soit sensoriellement repérable, pas un mot qui n'aboutisse à un objet ou à un geste :

« L'une après l'autre, trois nouvelles lumières jaillissent à trois fenêtres différentes. La vieille plonge ses mains sous son tablier et, le relevant, s'en cache le visage. L'autre personne lève enfin la tête et regarde fixement vers l'une des fenêtres restées obscures. La lumière jaillit aussi à celle-là. On ne voit d'ombres devant aucune des fenêtres. Le jeune gars tourne la tête et regarde le champ de maïs. Les pupilles sont brillantes du côté où la lumière est issue de la maison. »

Rien n'est décrit pour le plaisir, gratuitement. Les éléments de la description établissent une succession dramatique, presque épique. Une histoire est racontée par la mise en place des objets. Derrière eux se profile, toujours présent et angoissé, un être humain.

Le lecteur est un peu dans la situation du *Témoin oculaire* (dans le même recueil) qui n'intervient

Un de ces carnets dont il est question page 105
et sur lesquels Handke note les éléments essentiels
de ses livres.

qu'après que le jeune débile mental a coupé la tête de son tuteur avec la machine à décapiter les betteraves. Le témoin est aussi le sujet de son propre récit, c'est cela le regard derrière le texte ; l'action décrite n'est pas propre à tel ou tel personnage, volontairement tenu par Handke en retrait, mais elle finit par être faite, sans qu'il y prenne garde, par le lecteur lui-même.

En 1966-1967, à l'époque où Handke écrivait les textes de *Bienvenue au conseil d'administration,* il écrivait et publiait des textes poétiques réunis en allemand sous le titre *le Monde intérieur du monde extérieur du monde intérieur,* dont certains seront publiés en français dans le choix de textes intitulé *le Non-sens et le bonheur.* Dans l'un de ces poèmes, « les Nouvelles Expériences », on peut lire ceci qui va au cœur même de la relation avec le langage :

> et ce n'est pas la première fois
> que je lis
> que quelqu'un a été battu
> jusqu'à ce qu'il soit prêt
> à déclarer
> qu'il n'a pas été battu[9].

Tel est le sens ultime de la démarche de Peter Handke, la raison secrète et profonde de son écriture à cette époque de sa vie.

2

Au centre du regard

Les premières pièces de théâtre

L'impossibilité de se prouver par le langage, l'impossibilité de s'innocenter grâce à lui, l'indémontrable identité, tel est le point de départ des textes scéniques de Peter Handke. Celui qui parle est privé du langage par l'institution du langage, par la formulation imposée d'avance. C'est pourquoi, dans un texte théorique intitulé *Je suis un habitant de la tour d'ivoire* et qui a donné son nom au recueil d'articles où il figure, Handke peut écrire dans ce langage sobre et clair qui est le sien :

> « Je n'ai pas de thèmes sur lesquels écrire, je n'ai qu'un seul thème : voir clair, de plus en plus clair à mon sujet, apprendre à me connaître ou à ne pas apprendre à me connaître, apprendre ce que je fais mal, ce que je pense mal [...] rendre et devenir plus attentif et plus sensible, devenir et rendre plus exact pour que d'autres et moi-même nous puissions exister de façon plus exacte et plus sensible, afin que je puisse mieux m'entendre avec les autres et mieux les traiter. »

Le théâtre de Peter Handke parle de ce centre muet auquel la parole est dérobée par l'automatisme, l'inattention et l'habitude. Dans ce même texte intitulé *Je suis un habitant de la tour d'ivoire*, Handke s'en explique très clairement :

> « Jamais je n'aurais pensé que j'écrirais des pièces de théâtre. Le théâtre tel qu'il existait était pour moi un reliquat d'un temps passé. Même Beckett

et Brecht n'avaient rien à voir avec moi [...]. Les possibilités de la réalité étaient limitées par les impossibilités de la scène, le théâtre esquivait la réalité par l'illusion. Au lieu d'une nouvelle méthode, je ne vis que dramaturgie. [...] »

De même que le langage transpose la réalité et feint de prendre cette transposition pour la réalité, de même le théâtre feint la réalité et exige qu'on prenne le figuré pour le réel. La critique formulée par Handke à l'égard de Brecht prend dès lors tout son sens :

« Brecht, malgré sa volonté révolutionnaire, était à ce point pris et emprisonné par les canons du jeu théâtral existants que sa volonté révolutionnaire restait toujours à l'intérieur des limites du goût. »

La représentation de la réalité est une tromperie lorsqu'elle s'en tient à des règles qu'elle prend pour la réalité. C'est la raison pour laquelle Handke tente de « désillusionner », d'enlever au théâtre la possibilité de jouer autre chose que le jeu. On ne peut feindre la réalité là où il n'y a que fiction. C'est essentiellement cela que représentent ces pièces écrites entre 1964 et 1965, *Outrages au public, Prédictions, Introspection* et *Gaspard*, dont le retentissement fut considérable et qui furent jouées dans le monde entier. A propos de ses pièces, Handke note :

« La méthode de mes premières pièces fut de limiter les actions théâtrales à des mots dont les significations contradictoires empêchaient une action et une histoire individuelles. La méthode consistait à ne plus donner d'*image* de la réalité, à ne plus jouer, à ne plus faire miroiter la réalité, mais à jouer avec les mots et les phrases de la réalité. La méthode de ma première pièce consistait à nier toutes les méthodes jusqu'ici[10]. »

Telle était, en effet, la méthode d'*Outrages au public* où les coulisses basculent sur la scène. La négation du théâtre consiste à faire s'équivaloir la scène et la salle :

« Le silence derrière le rideau et le silence qui se fait dans la salle se ressemblent »,

est-il dit dans les indications de scène qui précèdent la pièce proprement dite. Après s'être éteinte, la lumière se rallume à la fois sur la scène et dans la salle. Les acteurs pourraient aussi bien être les spectateurs ou inversement. L'action théâtrale n'existe plus que comme ce qu'elle est et non pour ce qu'elle figure.

Les acteurs disent sur scène ce qu'ils n'y diraient jamais s'ils y « jouaient ». Ils n'ont plus de rôle, ils ne font pas passer quelque chose. Ce qu'on attend, ce qu'on a appris à attendre n'est pas ce qui vient. Pour la première fois depuis longtemps, le spectateur se trouve compromis par ce qu'il voit, car ce qu'il voit est bien ce qu'il voit :

« Cette pièce ne simule pas une pièce. Le côté ouvert vers vous n'est pas le quatrième mur d'une maison. Ici, le monde n'a pas besoin d'être vu en coupe. Vous ne voyez pas ici de portes. Vous ne voyez pas la porte de derrière par laquelle peut se glisser celui qui ne doit pas être vu. Vous ne voyez pas la porte de devant par laquelle entre celui qui veut voir celui qui ne doit pas être vu. Il n'y a pas de porte de derrière. Il n'y a pas non plus de porte comme dans les drames contemporains. L'absence de porte ne représente pas l'absence de porte. Il n'y a pas, ici, d'autre monde. »

On remarquera, dans ce passage, l'énumération des moyens habituels de la figuration théâtrale – les fausses portes –, en les présentant tels qu'ils sont, Handke les démasque et les réduit à ne plus pouvoir être ce qu'ils sont censés être : ce qui est remis en question, c'est cette *entente préalable* artificielle, la convention qui permet de prendre les choses pour ce qu'elles ne sont pas. Rien ne recouvre rien et la « parole » n'est pas signifiante. Il n'y a pas même ou surtout pas l'échappatoire de la feinte métaphysique :

« Ici l'indicible n'est pas dit par le silence. Ici, il n'est pas de regards, pas de gestes parlants. Ici, se taire ou rester silencieux ne sont pas des procédés artificiels. »

L'acteur qui se demande s'il a bien fermé le gaz avant de partir jouer son rôle au théâtre dit sur scène non son rôle, mais qu'il a peut-être oublié de fermer son gaz.

Peter Handke a su trouver la méthode permettant de retrouver l'usage du langage tel qu'il correspond à celui qui l'emploie. *Outrages au public* est l'exposé théâtral de cette méthode :

« Ce n'est pas un drame. On ne répète ici aucune action déjà arrivée. Ici, il n'y a qu'un maintenant et un maintenant et un maintenant. Ce n'est pas une reconstitution où est répétée une action qui est vraiment arrivée un jour. Ici, le temps ne joue pas de rôle. Nous ne jouons pas d'action, donc nous ne jouons pas le temps. Ici, le temps est vrai, passant d'un mot à l'autre. Ici, le temps s'enfuit avec les mots. »

On pense, là encore, à Ludwig Wittgenstein, dont le vertige verbal est comparable : limiter le mot à son sens, c'est le faire éclater, le rendre à la fois infranchissable et compact.

A la fin de la pièce, le haut-parleur fait entendre au public des applaudissements frénétiques et des sifflets stridents. Ainsi, tout le système de représentation se trouve renvoyé, « réfléchi ». L'attente des spectateurs leur est retournée, parce qu'ils sont eux-mêmes l'auteur.

L'entente, l'accord supposé par le théâtre didactique ou « engagé », celui de Brecht, par exemple, n'est qu'une entente feinte :

« Un chœur parlé qui veut avoir de l'effet non pas dans la rue, mais au théâtre est du kitsch et du maniérisme », écrit-il[11].

Tout ce qui est, par exemple, proclamé au théâtre contre la guerre du Viêt-nam devient ainsi à la fois théâtral et apolitique. Ce qu'on prend pour une libération n'est peut-être que la forme la plus subtile des aliénations. Tout est joué d'avance dans l'usage métaphorique et comparatif du langage.

Réduire les métaphores au simple bruit qu'elles font, à leur « épaisseur acoustique », c'est peut-être ce que se propose *Prophéties,* écrit en 1965 et représenté pour la première fois l'année suivante, à Oberhausen, en Allemagne. Les mots deviennent le bruit qu'ils font quand ils s'entrechoquent :

« Les mouches mourront comme des mouches. » C'est sur cette constatation que s'ouvre la pièce. Toutes les comparaisons dont elle est faite d'un bout à l'autre vont sans cesse être ainsi ramenées à elles-mêmes : *« Les poules vont courir comme des poules »,* ou encore : *« Un cri va sortir d'une bouche comme d'une bouche. »*

C'est ainsi, aussi, qu'il faut comprendre la pièce également représentée à Oberhausen en 1966 et traduite sous le titre d'*Introspection,* mais qui devrait s'intituler *Auto-accusation (Selbstbezichtigung).* Dans une note publiée à la suite de la pièce dans l'édition en langue allemande, Peter Handke le dit bien :

> « La pièce a la forme d'une confession catholique et porte la désignation de ces auto-accusations publiques coutumières sous les régimes totalitaires. »

C'est à un moi, réduit à son existence grammaticale, que parvient *Auto-accusation (Introspection).* Je suis réduit à ce que les autres décident de moi. Je ne contiens rien qu'autrui n'ait mis en moi, c'est pourquoi le « moi » représenté, parce que vide, ne s'assimile à rien, ne correspond à rien de ce qu'on lui propose ou lui impose.

> « Il est présenté [dit la même note] un moi qui brise toutes les règles qui ont résulté de la vie en commun des hommes. »

A y regarder de près, toutes les situations énumérées dans cette pièce et auxquelles le « moi » ne se conforme pas, résument l'ensemble des obligations sociales auxquelles peut être contraint un individu. Décrire cet enfermement est un acte hautement politique.

« J'ai marché. J'ai marché sans but. J'ai marché conscient d'un but. J'ai marché sur des chemins. J'ai marché sur des chemins où il était défendu de marcher. Je n'ai pas marché sur des chemins quand il fallait marcher sur des chemins. J'ai marché sur des chemins où c'était un péché de marcher sans but. J'ai marché vers un but quand il ne fallait pas marcher vers un but. [...] »

Auto-accusation est par là même tout près du *Traité des autorités théologique et politique* de Spinoza, où on peut lire :

« De sorte que l'individu le plus étroitement soumis au pouvoir d'un autre est celui qui se résout à exécuter les ordres de cet autre, de l'élan le plus sincère ; l'autorité politique la plus puissante est celle qui règne même sur le cœur de ses sujets[12]. »

C'est l'individu tel qu'il pourrait exister hors de ces règles et de ces schèmes d'obéissance que la pièce voudrait présenter au spectateur ; les toutes dernières phrases le disent très clairement.

« Je ne suis pas ce que j'ai été. Je n'ai pas été comme j'aurais dû être. Je ne suis pas devenu ce que j'aurais dû devenir. Je n'ai pas tenu ce que j'aurais dû tenir.
» Je suis allé au théâtre. J'ai entendu cette pièce. J'ai dit cette pièce. J'ai écrit cette pièce. »

L'énumération des interdictions que le « je » de la pièce n'a pas respectées révèle la nature même des actions qu'elles figurent. Le « je » n'existe qu'en creux, d'interdiction non respectée en interdiction non respectée : il n'a pas fermé les portes, il n'a pas dégagé l'entrée, il a tiré le frein de secours sans raison valable. Il n'a pas fermé le robinet, il s'est couché à l'hôtel avec une cigarette allumée, il n'a pas pris de ticket de quai et il a marché sur les rails (voir, par exemple, la scène 8) ; un véritable itinéraire est ainsi tracé par les interdictions au sein de la réalité.

La pensée de Handke est à ce point cohérente qu'une pièce peut s'illustrer et s'expliquer par l'autre. Ainsi, une pièce radiophonique simplement intitulée *Pièce radiophonique,* née à partir du récit *le Colporteur* et donnée à la radio allemande (Cologne) en 1968, situe parfaitement le propos de *Gaspard.* *Pièce radiophonique* restitue l'interrogatoire d'un interrogé par cinq interrogateurs : A, B, C, D et E. Tout ce que l'interrogé dit est retourné contre lui, tout ce qu'il dit prouve sa culpabilité. Son innocence même prouve aux interrogateurs qu'il est coupable :

« "Qu'il nie est une preuve qu'il tait quelque chose. Qu'il ne nous regarde pas dans les yeux est une preuve qu'il nie", dit l'interrogateur B.
» L'interrogateur A :
» "Il a les oreilles décollées de quelqu'un de buté. Il fait celui qui ne sait pas, c'est donc qu'il sait quelque chose."
» L'interrogateur B :
» "Il fait comme s'il disait la vérité, donc il ment. Il a le menton fuyant, c'est donc qu'il ne dit pas la vérité." »

L'interrogé, c'est celui qu'on bat jusqu'à ce qu'il dise qu'on ne le bat pas : l'interrogé n'est autre que le déporté. Cet emploi-là du langage permet toutes les exterminations. A un moment donné, l'interrogateur C demande à l'interrogé :

« Pourquoi vos pieds sont-ils tournés vers l'intérieur ? »

Or, si on se rappelle le texte cité dans l'introduction de ce livre et intitulé *A l'abri sous la boîte crânienne,* on se souviendra que ce sont les pieds tournés vers l'intérieur d'un déporté qui ont révélé à Peter Handke toute la réalité de la déportation ; or ces pieds tournés en dedans figurent dans l'une des premières scènes muettes de *Gaspard*, mais comme un détail parmi d'autres et qui peut aussi passer tout à fait inaperçu.

« Il recommence à marcher d'une manière artificielle, mais cette fois régulière : il a les "pieds en dedans". »

Tout comme l'interrogé de *Pièce radiophonique*, Gaspard est cerné de toutes parts et jusqu'à l'intérieur de lui-même par des gestes et des paroles répétés et connus d'avance.

Le texte de la pièce a été publié en 1968 pour la première fois ; cinq ans après, le tirage était déjà de plus de trente mille exemplaires. La pièce a été créée en 1968 à Francfort et a connu depuis un grand nombre de représentations dans le monde entier. Elle s'ouvre sur un court texte de présentation, où Handke écrit :

« La pièce *Gaspard* ne montre pas CE QU'IL EN EST RÉELLEMENT OU ÉTAIT RÉELLEMENT de Gaspard Hauser. Elle montre ce qu'il est POSSIBLE de faire de quelqu'un. Elle montre comment par la parole on peut forcer quelqu'un à parler. La pièce pourrait aussi s'intituler *Torture verbale.* »

Plus le héros de la pièce se défend, ajoute Handke, plus on lui parle. *Gaspard* montre comment le langage est toujours retourné contre l'homme, comment il est devenu instrument de l'oppression et de l'injustice. Mais, cela, c'est justement au moyen du langage qu'il le montre.

Gaspard Hauser est, on le sait, un jeune homme apparu soudain à Ansbach, en Bavière, en 1828, debout sur la place de la petite ville, une lettre à la main. Séquestré des années durant, peut-être pendant toute sa vie, sans aucune relation avec le monde extérieur, il était privé de l'usage de la parole. Peu à peu rééduqué, il fut mystérieusement assassiné en 1833, au moment précis où il avait recouvré l'usage de ses facultés[13].

Toute la détresse de l'homme livré à une parole qui n'est pas la sienne se trouve ainsi figurée sur

Mülheim an der Ruhr, 1986 :
le rôle de Kaspar est tenu par une femme,
Maria Neumann.

la scène. Au début de la pièce, Gaspard ne dit qu'une seule phrase plusieurs fois répétée : « J'aimerais devenir [comme] celui-là même qu'un autre a déjà été » (littéralement : un comme celui qu'un autre a été)[14], car l'identité, le contenu sont sans signification ; l'identité n'est pas ce que « je » suis. Le « je » se réduit à rien, il n'est rien, il est vide de tout autre chose que d'être ce « je suis » irréductible à toute définition : tel est le point de départ de *Gaspard*. On est moins loin qu'il n'y paraît du sosie de l'Amphitryon de Molière, lequel, dépouillé de toute trace de lui-même par Mercure dans tous ses faits et gestes, n'en reste pas moins lui-même[15].

Exercice de langage certes, mais parce que *Gaspard* n'est que cela, il est aussi beaucoup plus. C'est par le langage que l'oppression se fait et c'est par le langage aussi qu'il est possible de la déceler. Telle est l'« intention » qui ne cesse de se préciser et de se déployer dans l'œuvre de Handke ; c'est dans *Gaspard* qu'elle prend corps.

Handke décrit à la fois l'apprentissage gestuel et l'apprentissage verbal qui l'accompagne :

« Tu as déjà une phrase avec laquelle tu peux te manifester. Avec cette phrase, tu peux te manifester dans le noir pour qu'on ne ne te prenne pas pour un animal. Tu as une phrase avec laquelle tu peux déjà te dire toi-même tout ce que tu *ne* peux *pas* dire aux autres » (scène 8)[16].

Gaspard est, à chaque instant, devancé par ce monde qui le « place » dès avant lui-même. Le mode d'emploi précède l'existence.

Gaspard ne se propose rien, ne démontre rien ; la pièce, simplement, devance tout ce qu'on pourrait en dire :

« Avec la phrase, tu peux faire l'idiot. Avec la phrase, tu peux t'affirmer contre d'autres phrases. Désigner tout ce qui se met sur ton chemin et t'en écarter. Te familiariser avec chaque objet. Avec la phrase, tu peux ramener chaque objet à une phrase. Tu peux ramener chaque objet à ta phrase. Avec cette phrase, tous les objets sont à toi. »

Toutes les phrases existent déjà et toutes les possibilités en sont déjà connues : il n'y a que du répétable.

Mais, au lieu de conduire à une vision « pessimiste » et négative, cette destruction des attendus du langage (et non, on le remarquera, du langage lui-même) permet un recommencement, une sorte de renaissance. Au fur et à mesure que Gaspard apprend le monde, le spectateur s'en trouve délivré. La pièce est une sorte de réplique inversée à l'*Émile* de Jean-Jacques Rousseau.

L'apprentissage du monde tel que *Gaspard* le fait se dérouler révèle de façon inversement proportionnelle à quel point cet apprentissage ne concerne pas le « point aveugle » qu'est Gaspard lui-même ; tout le blesse, rien ne lui correspond, tout lui est étranger, tout lui est oppression, mais tout, en revanche, libère le spectateur qui, par l'intermédiaire de Gaspard, reconnaît son propre apprentissage et l'« objet » vide de cet apprentissage lui-même. Gaspard découvre ses propres gestes et l'espace où il se retrouve. Dès le début de la scène 5, il répète la phrase clef qui, d'emblée, démontre qu'il a tout compris et que, réduit à être celui qu'il est, il se verra dès lors impartir ce qui ne lui convient pas : « J'aimerais devenir [comme] celui-là même qu'un autre a déjà été. »

A partir de la scène 8, il ne tente plus de contourner les objets sur la scène, mais apprend leurs formes ; il les touche, il apprend à tirer un tiroir, démonte un pied de table, se balance dans un fauteuil à bascule. Pendant ce temps, des personnages d'abord invisibles lui apprennent à parler en disant « un texte qui n'est pas le leur ». Ainsi, de scène en scène, Gaspard apprend à parler, à aligner des mots sans suite ou bientôt de plus en plus logiquement coordonnés, ce qui, à tout prendre, pourrait ne pas être tellement différent.

« Il est évident que le sac de farine écrase le rat. Il est évident que le pain chaud fasse venir les enfants prématurément au monde. Il est évident que jeter des allumettes introduise une manifestation de confiance » (scène 27).

La suite de la pièce mêlera subtilement les affirmations logiques et possibles, sinon réelles, et les affirmations apparemment logiques et invraisemblables, mais que rien, pourvu qu'on en décide ainsi contre quelqu'un, ne permet de distinguer des premières. Qu'un seul individu soit empêché de démontrer son innocence au moyen du langage mis à sa disposition, et déjà l'usage de ce langage devient sujet à caution.

Chaque spectateur, chaque lecteur s'est un jour trouvé dans la situation initiale figurée par Gaspard. Toute la force de Peter Handke est d'avoir découvert et de savoir transmettre ce point précis où l'identité localisée de façon vide dans Gaspard est reconnaissable pour chacun.

Gaspard est livré aux « bien-pensants », comme l'écrit Erika à Tunner, dans un très bel article du n° 21 de la revue *Oracl*, consacré à Handke. Le langage des « bien-pensants » est destiné à supprimer ce « désordre » qu'est la conscience de soi. Les phrases que prononce Gaspard, celles qu'il a apprises sont à la fois logiques et incohérentes, cohérentes et illogiques :

« Lorsque je suis, j'étais. Lorsque j'étais, je suis. Quand je suis, je serai. Quand je serai, j'étais. Bien que j'aie été, je serai. Bien que je serai, je suis. Chaque fois que je suis, j'ai été. Chaque fois que j'ai été, j'étais. Pendant que j'étais, j'ai été... »

Toutes les phrases sont possibles et peuvent aussi bien être vraies que fausses, elles devancent toujours celui qui voudrait les employer. La scène 64 de la pièce explicite parfaitement ce mécanisme de l'apprentissage du langage :

« Parce que la neige était blanche et parce que la neige était la première chose blanche que j'aie vue, j'ai appelé neige tout ce qui était blanc. On m'a aussi donné un mouchoir qui était blanc, mais j'ai cru qu'il allait me mordre parce que la neige m'avait mordu la main lorsque je la pris, et je ne pris pas le mouchoir, et lorsque je sus le mot neige, j'appelai le mouchoir blanc neige ; mais, plus tard, je connus aussi le mot mouchoir et lorsque je vis un mouchoir blanc le *pensai* encore, même en disant le mot mouchoir, le mot neige, et c'est d'ailleurs par là que j'ai commencé à me *souvenir.* »

L'analyse du langage atteint ici la rigueur de Wittgenstein ; ramené au simple constat, le langage n'en laisse que davantage voir la détresse de celui qui est contraint de se prouver au moyen de ce langage. Gaspard voit comme les personnages de Molière le langage le tromper, se dérober devant lui, ne jamais coïncider avec lui. Plus il est précis, plus il s'éloigne de qui le parle.

La division de Gaspard en plusieurs autres Gaspard tout au long de la pièce, de sorte qu'on ne sait plus lequel d'entre eux est le « vrai » Gaspard, révèle, en deçà du langage, l'anonymat-intimité de la conscience vide : chacun est chacun.

Désormais, le cadre est donc tracé où l'œuvre de Peter Handke ne s'insérera pas. Les premiers récits et les premières pièces ont servi à rendre la conscience individuelle plus anonyme, plus précise, plus sensible, et donc plus apte à renaître au monde.

Le pupille veut être tuteur : la pièce dont le titre est une phrase de *la Tempête* de Shakespeare, reproduite d'ailleurs en épigraphe, a été publiée et créée en 1969, et jouée depuis de multiples fois dans le monde entier. A Paris, *Le pupille veut être tuteur* a été monté en 1974 par Philippe Adrien et, en 1984, par Antoine Caubet ; ces deux mises en scène ont très bien montré l'aspect à la fois surprenant et parfaitement reconnaissable de ce qui se passe : comme s'il y avait révélation d'une situation connue de chacun, comme s'il s'y exprimait, sans paroles, la situation première de l'enfance et de l'adolescence : la non-coïncidence entre le ressenti et les signes.

Dans cette pièce muette, le « langage » est fait d'attitudes, de mouvements de tête ou de bras, de gestes, jamais de « pantomimes » qui ne seraient que du langage figuré ; chaque geste, au contraire, est bien ce geste-là et pas un autre ; il ne « signifie » pas, il n'est pas représenté, il est fait, ton geste contre mon geste. Seul retentit le bruit des objets ou des pas.

Le pupille veut être tuteur décrit la confrontation de deux personnages ; chacun tente de substituer ses gestes à ceux de l'autre, comme si chacun des deux n'existait que par ceux de l'autre. Un critique allemand, Uwe Schulz, a bien vu que la naissance pénible et douloureuse de Gaspard à la parole équivaut au silence du pupille[17]. L'un comme l'autre sont cernés, « piégés » par le système des signes mis en place, déterminés et établis d'avance. Ce n'est qu'en les devançant, en les inversant que le pupille peut arriver, peut-être, à se reconnaître lui-même. Les gestes les plus violents ou les plus meurtriers sont annulés, ils deviennent dérisoires et presque grotesques, au point que le pupille en est réduit à bombarder le tuteur de teignes ou à couper une betterave avec la machine à couper.

Les gestes ne se succèdent pas comme ils le devraient, leur ordre naturel n'est pas respecté, et, pourtant, ils apparaissent parfaitement appropriés, ainsi par exemple :

« La clarté se fait.
» Les deux personnages sont assis à la table, à leur point de départ, sans bouger, pour eux-mêmes.
» Le tuteur, il se lève, va vers le réchaud électrique. Il sort une bouilloire à thé derrière la rangée de bouteilles, met le tuyau en caoutchouc dans la bouilloire.
» Le tuteur sort de la scène par le côté et revient aussitôt.
» Nous entendons couler de l'eau dans la bouilloire.
» Le tuteur sort de la scène par le côté, revient aussitôt.
» Il retire le tuyau en caoutchouc de la bouilloire, le laisse tomber. Il fixe la soupape sur la bouilloire et pose la bouilloire sur la plaque électrique.
» Il allume la plaque. »

Il est peut-être absurde de remplir une bouilloire avec un tuyau d'arrosage, et, pourtant, ce geste s'impose par sa cohérence et son adéquation à

Le pupille veut être tuteur
(Maurice Desarnaud et Antoine Caubet, 1984).

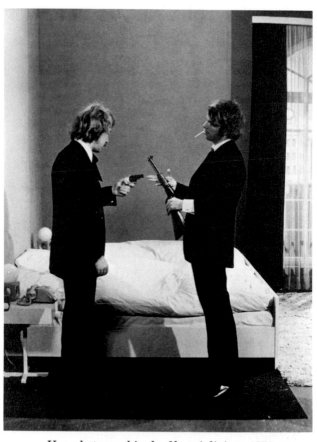

Une photographie du film réalisé en 1970
pour la télévision allemande
par Peter Handke d'après son livre
Chronique des événements courants.

lui-même. Tous les gestes ainsi évident les gestes habituels de la vie quotidienne. Comme Peter Handke l'écrit dans un court texte en préambule à *la Chevauchée sur le lac de Constance, Le pupille veut être tuteur* a été sa première tentative de représentation de gestes apparemment libres. Isoler les gestes des histoires qui les contiennent et les rendent méconnaissables en faisait de soudaines poses, et

« la représentation des poses de théâtre était notamment une tentative de présenter des formes habituelles des relations humaines *[Umgangsformen]* elles aussi comme poses ».

Isolés, les gestes à la fois se figent et acquièrent un contenu nouveau. Le geste qui termine la pièce (le pupille fait tomber le sable dans l'eau de la bassine) à la fois fige le sens (il n'en a pas) et peut inaugurer toute une foule d'autres histoires possibles : on voit ce qu'on voit. Dans un court commentaire qui suit l'édition française de *Le pupille veut être tuteur,* Philippe Van Kessel écrit : « L'une des fables du *Pupille* pourrait être celle-ci : "Deux paysans, un jeune et un vieux, un patron et son garçon de ferme, le pupille et son tuteur" travaillent et vivent dans une petite ferme. La vie se passe... Le pupille grandit, le tuteur vieillit. Le pupille devient fermier à son tour et regagne peu à peu la tutelle de son maître. Le pupille devient alors son propre souverain. Il est le tuteur, etc. »
Cette fable est, en effet, l'une des fables plausibles, mais Peter Handke lui-même a indiqué une autre issue possible. En 1971, il rédige le scénario d'un film qu'il tourne pour la télévision allemande : *Chronique des événements courants ;* à la deuxième séquence est présenté un extrait du *Pupille* qui ne figure pas dans le texte et où on devine qu'un des deux personnages a tué l'autre, mais sans qu'on sache lequel[18]. Déjà, dans *Bienvenue au conseil d'administration,* le texte intitulé *Récit d'un témoin oculaire* avait figuré la fin ultime à laquelle, selon la logique intérieure de la relation de domination figurée, devait aboutir la pièce : un adolescent débile à qui son tuteur explique

le fonctionnement de la machine à couper les betteraves parvient à y placer la tête de celui-ci qu'il coupe avec le tranchoir. L'horreur de la scène est comme la traduction ultime des gestes institués.

« La Chevauchée sur le lac de Constance »

Dans le préambule à *la Chevauchée sur le lac de Constance*, Handke écrit que la dernière réflexion à propos de *Gaspard* a donné la première sur *la Chevauchée*. Et il ajoute :

> « Puis le temps a passé et, plus encore que les autres pièces, *la Chevauchée sur le lac de Constance* est devenue tout autre chose que l'idée que j'en avais, bien qu'aucun détail ne soit pensable sans cette idée. Rien ne devait plus être prouvé. Les preuves ont pris dans la pièce la forme de la farce, la souffrance qui vient de preuves et d'interprétations qui n'aboutissent pas a pris la forme d'une tragédie souvent jouée, et la joie d'être débarrassé d'interprétations et de preuves obligées, celle d'une comédie utopique. Ce qui était clair au début, ou du moins se présentait ainsi, est devenu de moins en moins clair pendant le déroulement de la pièce, de phrase en phrase, de geste en geste, mais il a été tenté de rendre cela par chaque phrase et chaque geste aussi clairement et brutalement que possible. »

On ne trouvera donc dans *la Chevauchée* ni démonstration, ni thèse, ni message. On n'y reconnaîtra aucune prise de position à laquelle s'assimiler : si *Le pupille veut être tuteur* était le récit d'une histoire restée à fleur d'elle-même, indéfiniment continuée et indéfiniment recommencée, *la Chevauchée sur le lac de Constance*, elle, fait débuter, s'amorcer d'innombrables histoires possibles qui continuent d'autant plus dans l'esprit du lecteur ou du spectateur qu'elles semblent davantage interrompues.

La Chevauchée sur le lac de Constance a été écrite à Berlin et, pour une grande part, à Venise, en 1969 ;

elle ne s'ouvre pas par hasard, avant même les premières répliques, sur un disque de musique rock, *The Garden is Open,* de T. Kupferberg. Déjà dans les pièces radiophoniques dont il a été parlé plus haut, on entendait *Morning Morning, Sad Day,* des Free, ou *Hey Joe,* de Jimmy Hendrix. La musique rock et la lecture de Faulkner ont été, en effet, pour Peter Handke, à l'âge de quinze ans, des moments décisifs d'ouverture et de découverte du monde. Interne dans une institution dirigée par des bénédictins, il a la permission pour la première fois d'aller en ville, à Klagenfurt, où il achète, ce qui était alors interdit dans son collège, un livre de Faulkner, et va dans un café mettre une pièce de monnaie dans un juke-box et voit le monde se déployer devant lui ; c'est de cela que *la Chevauchée sur le lac de Constance* porte la trace. Ce moment de la découverte première où les choses, les gestes ou la musique apparaissent hors de leur contexte, mais saisis dans leur force d'évocation, fonde, biographiquement, l'écriture de Peter Handke et en particulier *la Chevauchée.*

Les personnages de la pièce portent le nom d'acteurs, appelés dans le texte Emil Jannings, Heinrich George, Elisabeth Bergner ou Erich von Stroheim. Comme l'indique Handke, chaque personnage pourrait tout aussi bien porter le nom de l'acteur qui l'interprète : « Personnages et interprètes ne font qu'un. » Ils auraient donc tout aussi bien pu se nommer Agnès Junger, Michael Lonsdale, Gérard Depardieu, Delphine Seyrig, Samy Frey ou Jeanne Moreau, du nom des acteurs qui interprétèrent la pièce en 1974, à l'Espace Cardin, dans l'admirable mise en scène de Claude Régy. Le retentissement en fut considérable et la pièce marqua de manière profonde les recherches théâtrales postérieures. Les spectateurs, d'ailleurs, ne s'y trompèrent pas, car ceux qui, dans un premier temps, marquèrent violemment leur désaccord ou leur réprobation ne quittaient pas le foyer du théâtre, mais rentraient au bout d'un certain temps dans la salle pour assister tout de même à la suite du spectacle, fascinés qu'ils étaient par ce qu'ils voyaient.

La mise en scène de Claude Régy, à la fois monumentale et précise, donnait à voir ce qui se passait entre les personnages en deçà des échanges sociaux ordinaires et convenus, leur « pulsion commune » (Claude Régy), un échange érotique d'une grande intensité où les échanges de gestes sont des échanges du désir. « Lonsdale », par exemple, tend une boîte de cigares à « Depardieu », et « Jeanne Moreau » se trompe de marche en descendant un escalier, et aussitôt on bascule dans une tension commune où le geste manqué restitue la réalité profonde. C'est « Depardieu » qui enlève les bagues des doigts de « Lonsdale » et les met sur les siens. Les gestes sont faits et les paroles dites par ceux qui les disent et les font. Les acteurs n'incarnent plus personne et tout ce qu'ils disent et font devient à la fois parfaitement anonyme (les gestes ne leur appartiennent pas en propre) et parfaitement plausible (chaque spectateur reconnaît chaque geste comme étant l'un de ceux qu'il pourrait faire). Leurs gestes ne signifient rien, ou bien ils signifient ce que leur partenaire ou le spectateur y voit.

Rien ne reproduit à aucun moment une histoire connue d'avance ; ce qui arrive n'est pas ce qu'on attend, mais pas non plus ce qu'on n'attend pas ; rien n'est gratuit. Dans l'une des conversations qui inaugurent la pièce, Emil Jannings, c'est-à-dire Michael Lonsdale (ou n'importe quel autre acteur), raconte une « histoire » dont la succession et la cohérence interne ne sont plus « typiques », mais à la fois plausibles et poétiques :

« Une fois, je me trouvais dans une auberge, avec quelqu'un par une soirée d'hiver. Donc, c'était le soir ; nous étions assis près de la porte et nous parlions d'un cadavre. Il s'agissait d'un suicidé qui s'était jeté dans le fleuve. Dehors il pleuvait ; nous tenions les menus à la main. "Ne regardez pas à droite", s'écria brusquement mon vis-à-vis. George a jeté un regard rapide à gauche, puis à droite. Je regardai à droite, mais il n'y avait pas de cadavre. Mon ami voulait seulement me dire de ne pas regarder sur la droite du menu, parce que

La Chevauchée sur le lac de Constance.
*Photographie de répétition
avec Claude Régy, le metteur en scène (à gauche),
Jeanne Moreau, Michael Lonsdale,
Samy Frey et Gérard Depardieu (Paris, 1974).*

les prix y étaient marqués. Un temps. "Que pensez-vous de cette histoire[19] ?" »

Les véritables histoires sont celles qui commencent par leur interruption. Un récit reste dans son fil, et, pour se constituer comme tel, il lui faut ne pas tenir compte de tout ce qui se déroule, secondairement, en même temps que lui.

Or, dans *la Chevauchée sur le lac de Constance*, est raconté tout ce qui n'est pas raconté, comme un récit sous un récit, une pièce représentée sous une pièce. Aucun geste, aucune parole, dans *la Chevauchée*, n'aboutissent « comme il le faut ». Ainsi Henny Porten (Jeanne Moreau) dit à un moment de la pièce :

« Un jour qu'il pleuvait, je traversai avec mon parapluie ouvert une rue large, à circulation dense. Quand j'arrivai enfin de l'autre côté, je me surpris à refermer mon parapluie. »

L'inoubliable diction de Jeanne Moreau avait encore souligné la poésie d'un passage comme celui-là : le poétique, c'est-à-dire la liberté, naît au moment exact où le déroulement mécanique est interrompu par la surprise. Le poétique, c'est la réalité dissimulée par le réel. (Le parapluie ouvert et la largeur de la rue établissent une autre correspondance des réalités recouvertes par le fonctionnement du réel.) C'est pourquoi la revue que Stroheim (Depardieu) veut prendre dans le porte-revues est attachée à une chaîne, c'est pourquoi la statuette que veut prendre Henny Porten est vissée sur la commode, et c'est pourquoi le tiroir que veut ouvrir Stroheim ne s'ouvre pas, alors que celui au-dessous s'ouvre. Le geste interrompu fait naître une autre réalité, ce qui ne « fonctionne » pas prend un autre visage.

« Un jour, dit Elisabeth Bergner [Delphine Seyrig], que je voulais étaler une nappe sur une table, je m'imaginai (elle désigne d'un geste précis le tableau sur le mur) sur le rivage de la mer et je me surpris à secouer la nappe comme pour faire signe. »

Le fortuit, ce qu'on ne remarque qu'en passant, le sous-jacent, d'habitude omis et tout de suite recouvert par les nécessités de l'action quotidienne, les dessous, en somme, d'une autre histoire deviennent ici l'essentiel. Tout se passe comme si le monde réel n'était que l'une des manifestations du possible.

Les personnages, ou plutôt les acteurs, ne sont jamais donnés par rapport à une certaine situation sociale, mais dans ce que la situation sociale recouvre. Claude Régy écrit à ce propos :

> « L'auteur, glissant une lame de canif dans l'épaisseur de la pellicule, a réussi à décoller les acteurs en créant autour d'eux un vide étrange où ils se meuvent avec précaution, comme s'ils traversaient sans le savoir la surface d'un lac à peine gelé[20]. »

S'il faut établir des rapprochements, on est ici tout près des contes de Grimm et de leur pouvoir de transformation du réel ; le titre de la pièce auquel la citation de Claude Régy fait ici allusion le dit d'ailleurs clairement. C'est celui d'une ballade du poète Gustav Schwab (1792-1850), qui raconte l'histoire d'un cavalier qui traverse le lac de Constance à peine gelé et meurt de saisissement en l'apprenant. Or ce dont parle la pièce dont on a souvent signalé qu'elle était sans rapport avec son titre, c'est justement de ce saisissement en présence de cette autre réalité dont est faite la réalité quotidienne.

Ainsi, faits et gestes inaboutis ou déviés de leurs fonctions habituelles détruisent de fond en comble les appareillages de sujétion et les schèmes d'obéissance que véhicule l'emploi irréfléchi du langage quotidien ; la poésie, c'est aussi cela.

Dans les notes pour *la Chevauchée*, Peter Handke écrit :

> « Une conversation est détournée par des objets qu'on aperçoit tout à coup : une bouteille qui paraît tomber du bord de la table. »

Ou encore :

« Quelqu'un se met les mains devant la figure :
"Tu pleures ? – Non, je me mets les mains devant
la figure." »

Rien ne fonctionne selon l'ordre institué et prévu,
et, pourtant, tout se dispose avec harmonie et
cohérence ; à l'ordre préétabli succède l'ordre poétique. C'est l'ordre du conte, ce que Handke nommera
plus tard l'épique, qui se manifeste au spectateur
ou au lecteur.

« Stroheim se dirige vers la table à boissons,
caresse la bouteille et d'une main s'appuie par-
derrière sur la table.
» Jannings traduit posément la situation à
George : "Il caresse la bouteille et d'une main
s'appuie derrière sur la table."
» Stroheim se place à côté de la table, la bouteille
à la main et se met à LOUCHER.
» Jannings à George : "Il se tient à côté de la table,
la bouteille à la main et il louche."
» Stroheim repose la bouteille et se déplace à
travers la pièce, les épaules rentrées, en faisant
un écart exagéré pour contourner chaque objet,
tout en examinant ledit objet d'un regard
pénétrant. »

La description est aussi la définition, il en naît un
faisceau de possibilités inexplorées où paroles et
gestes s'équivalent. C'est d'ailleurs pourquoi indications de scènes, dialogues et indications de mouvements ne se distinguent pas sur le plan typographi-
que, contrairement à l'usage. Les paroles ne parlent
pas, elles montrent.
La représentation de 1974 à Paris a particulièrement mis cet aspect en relief, et Peter Handke, qui
était alors au début de son deuxième long séjour à
Paris, a assisté avec beaucoup de plaisir à la
représentation de sa pièce ; cela est d'autant plus
important que, d'habitude, lorsqu'il est présent, ce
n'est que dans une gêne extrême : il lui est
insupportable de « se » voir représenté, il éprouve

La Chevauchée sur le lac de Constance :
Jeanne Moreau et Michael Lonsdale.

un malaise presque physique à voir se dérouler devant lui l'un de ses propres « spectacles ». Mais, à l'Espace Cardin, renvoyé par les ouvreurs parce qu'il n'avait pas de billet, il put assister au spectacle dans l'anonymat du spectateur payant et oublier, devant la qualité de ce qu'il voyait, qu'il en était l'auteur.

Ce qui était donné à voir, c'était l'incursion de l'imaginaire comme prolongement de la réalité. Deux exemples encore extraits des notes pour *la Chevauchée* montrent très bien ce décalage poétique de la réalité par lequel s'opère le saisissement fondateur :

> « Quelqu'un fait un bond, tout à coup, et se laisse lourdement retomber. Il dit à la femme à côté de lui : "Je viens de m'imaginer que je sautais dans une flaque." La femme a un mouvement de recul et regarde sa robe. »

L'imaginaire n'est que le décalage du réel, il le recouvre même partiellement et pourrait coïncider avec lui – la femme regarde sa robe ; l'un et l'autre sont faits de la même chose ; simplement, le réel ne « fonctionne » plus selon les impératifs de son utilisation.

> « Quelqu'un cherche une paire de souliers, il trouve le premier et continue à chercher : chaque fois qu'il voit le premier, il croit avoir trouvé le second. »

La Chevauchée sur le lac de Constance, on le voit, raconte l'aventure du monde telle qu'elle commence par le retournement poétique du réel.

Les récits de transition

Tout se passe comme si la chronologie rendait compte de l'évolution d'un écrivain ; elle fait apparaître les moments où la durée anticipe sur elle-même, se gonfle de tout un futur implicite qu'elle exprime soudain, mais qui ne se développera vraiment que plus tard. Ainsi, *la Chevauchée* contient déjà bien des œuvres futures, comme si certaines étaient des avancées prémonitoires dans la durée propre. Ce n'est pas par hasard que Peter Handke écrira en 1986 un *Poème à la durée* où s'exprime de façon toute bergsonienne ce basculement intérieur. Si, par exemple, la dernière idée de *Gaspard* pouvait donner la première de *la Chevauchée,* c'est bien parce que Bloch, le personnage de *l'Angoisse du gardien de but au moment du penalty,* personnifie une conscience de soi parfaitement claire.

Ce roman, écrit en 1969 reprend le thème du *Colporteur* et celui du *Pupille,* comme si ces œuvres avaient jeté au-devant d'elles-mêmes ce que *l'Angoisse du gardien de but* allait élucider et préciser.

Le monteur Joseph Bloch, ancien gardien de but, se croit renvoyé de son emploi, rien qu'en interprétant, peut-être de façon inexacte, un geste de son chef de chantier, le seul à lever la tête à son entrée dans la baraque de chantier (on retrouvera cette baraque dans *Par les villages*). Bloch quitte les lieux et va au cinéma ; il tente de nouer conversation avec la caissière, sort avec elle et l'étrangle ensuite dans une chambre d'hôtel, car il la soupçonne de tout savoir de lui.

Arrivé dans un village à la frontière du pays, il se croit suspecté du meurtre d'un enfant mort de mort naturelle. Ce sont là quelques-uns des événements qui se déroulent au cours du livre. En réalité, il s'agit, comme dans *le Colporteur* ou dans *les Frelons,* non de raconter une « fable » dont il convient de dérouler la trame, mais de mettre au jour tout ce que la « fable » retient sous le récit.

L'intrigue policière ne devient intéressante que par la peur qu'elle fait naître. La peur est cet état inéluctable où les masques, les détours, les faux-semblants verbaux ou gestuels perdent toute signification, où les objets, les lieux ou les faits existent en relation avec cette peur, où la dispersion et la contingence des choses font place à leur cohérence et à leur resserrement, où rien n'est plus « gratuit ».

Die Angst des Tormanns beim Elfmeter, dit le titre allemand. *Die Angst,* c'est à la fois la peur et l'angoisse, et, s'il est parfaitement juste de traduire

Angst par angoisse – d'autant plus que l'origine philologique des deux mots est la même –, l'oreille allemande n'en entend pas moins le mot peur. Celui qu'on poursuit ou qu'on recherche (c'est à tort, ou à raison, la situation dans laquelle se sent Bloch) vit une situation de *vérité* qu'il est nécessaire de retrouver pour pouvoir retrouver aussi la parole à son origine.

C'est encore ce qu'explique le texte de Peter Handke écrit en 1967 et intitulé *Je suis un habitant de la tour d'ivoire,* déjà cité plus haut :

« Je n'ai pas *trouvé* une histoire, j'ai *re*trouvé une histoire. J'ai trouvé un déroulement d'actions extérieur qui était tout prêt, le schéma d'action du roman policier avec ses clichés de représentation du meurtre, de la mort, de l'effroi, de la peur, de la persécution, de la torture. Dans ces schèmes, en y réfléchissant, je reconnus des comportements, des formes d'existence, des habitudes d'expériences vécues qui m'étaient propres. Je m'aperçus que ces automatismes de la représentation étaient un jour nés de la réalité, qu'ils avaient été une méthode réaliste. Donc, si je parvenais à prendre conscience de ces schèmes de la mort, de l'effroi de la souffrance, etc., je pourrais, à l'aide de ces schèmes, en les soumettant à la réflexion, montrer le véritable effroi, la véritable souffrance. »

La peur et la souffrance contraignent la perception à sa vérité élémentaire, à sa nécessité aux limites de la survie.

Si le criminel (ou le criminel supposé) intéresse Handke, ce n'est pas à cause de son crime, mais à cause de l'état qui en résulte ; poursuivi ou recherché, il est dans une situation de contraction et de perception intenses : la peur le fait se ramasser sur lui-même, il n'est rien autour de lui qui ne le concerne, tout peut contenir une menace ou un danger. C'est Bloch qui découvre le cadavre de l'écolier disparu, mais pas plus que le jeune garçon de *Mort d'un inconnu,* dans *Bienvenue au conseil d'administration,* il n'en souffle mot, puisque, inévitablement, c'est lui qu'on en accuserait.

Il n'y a plus rien de neutre ni de conventionnel. Celui qui a peur raccorde tout à sa peur, elle colore toutes choses, et, comme il s'agit d'échapper au danger et à la menace, son regard devient d'une précision extrême.

Tout le roman n'est que la description des faits et gestes de Bloch, mais imbriqués les uns aux autres au point d'être indissociables. La peur redispose, redistribue la réalité et lui donne une cohérence renouvelée :

> « Au bord de la forêt, il s'assit sur une souche. Il se releva aussitôt. Puis il se rassit et compta son argent. Il leva la tête. Le paysage, bien qu'il fût plat, se voûtait à ce point vers lui qu'il semblait le repousser. Il était ici à la lisière de la forêt, là-bas un banc près des bidons de lait, là un champ, là quelques silhouettes et là, à la lisière de la forêt, il y avait lui. Il était assis immobile au point qu'il ne se remarquait plus lui-même. »

Bloch tente d'échapper à ses poursuivants en franchissant la frontière près d'un petit village isolé. A chaque pas il se croit reconnu, identifié, soupçonné, à chaque pas cependant les indices s'effondrent :

> « Bloch entendit un bruit comme si le plancher s'était écroulé sous quelqu'un. Mais ce n'était, une fois encore, que le bois qui s'effondrait dans le poêle. »

Tout le travail de Peter Handke dans ce roman a été d'explorer à travers la peur les possibilités de la perception des objets, comme si la peur, en effet, donnait à qui l'éprouve un regard neuf. Witold Gombrowicz le soulignait déjà :

> « Qu'y a-t-il de commun entre la peur et l'innocence ? Pourtant, le comble de l'épouvante est pour moi quelque chose d'aussi pur que le comble de l'innocence[21]. »

Tout se passe comme si la peur produisait à la fois une véritable mise au point optique et un approfondissement inouï de la conscience de soi :

« Il s'était à peine endormi qu'il se réveilla. Au premier moment, il lui sembla être tombé hors de lui-même. Il se remarqua couché dans un lit. Intransportable ! pensa Bloch. Une excroissance. Il se perçut comme s'il avait tout à coup dévié de l'espèce. Il ne coïncidait plus, il avait beau rester allongé immobile, il n'était rien que du frelaté, de l'embarras dans la gorge. [...] Là, comme il était, il était quelque chose d'obscène, de lubrique, d'inconvenant, de complètement répugnant, à déblayer, pensa Bloch, à interdire, à éloigner. »

Désormais, le champ de l'écriture a trouvé son centre, la simple perception de soi-même, la durée, cet « extrêmement simple » dont parlait Bergson.

Le malaise éprouvé par Bloch est de même nature que sa peur, l'une et l'autre coïncident. L'horreur de la constatation de soi et la peur sont du même ordre ; elles affinent le regard, l'une comme l'autre, et inaugurent une même méthode d'investigation du réel. L'effort de Peter Handke dans *l'Angoisse du gardien de but* est dans l'ordre perceptif comparable à celui de Descartes sur le plan de l'esprit. Il porte sur cette perception première, réduite à celle-là même devenue si précise, si impérieuse, si nette qu'elle en arrive à se détacher de son objet pour mieux le voir. On est ici aux limites de ce « sentiment de l'existence » de Jean-Jacques Rousseau, à la fois ininterrompu et reconnaissable à tout instant, fondateur de toute perception du monde.

Le malaise angoissé de Bloch apparaît surtout en présence du langage quotidien tout fait et dont les formules cachent et masquent la réalité.

« Bloch se demanda si le douanier parlait si abondamment de quelque chose qu'on aurait pu expédier en une seule phrase parce qu'il voulait par là dire autre chose. "Il a parlé par cœur", pensa Bloch. »

Ce roman, écrit par Handke au moment de la naissance de sa fille en 1970, a été conçu comme une sorte de pari, et son titre fait allusion aux matches de football auxquels Peter Handke, excellent joueur,

Une image du film de Wim Wenders,
d'après le roman de Peter Handke,
l'Angoisse du gardien de but au moment du penalty.

a participé comme membre de l'équipe universitaire de Graz.

En 1972, Wim Wenders réalisera son premier long métrage qui reprend le titre et de façon très exacte la matière du livre. Ce film, aux gros plans très élaborés et dont la vision inaugure un regard neuf du cinéma que développeront les films ultérieurs de Wenders, eut un retentissement considérable.

Dans un fort beau livre sur le décalage entre la réalité et le langage dont certaines intuitions peuvent utilement guider la lecture de l'œuvre de Peter Handke, Pierres-Yves Petillon cite cette phrase de Hugo von Hofmannsthal : « [...] *les mots se sont interposés devant les choses, l'ouï-dire a absorbé l'univers*[22]. » L'ouï-dire va jusqu'à organiser une pseudo-réalité figurée par des discours programmés et interchangeables. L'aboutissement en est l'infâme bassesse d'*Intervilles* et autres déjections télévisuelles.

McNamara, Delbert Mann, le professeur Russel et R.L. Tollett, assis à une tribune, présentés tour à tour par le meneur de jeu (séquence 8), tiennent des propos lénifiants et menteurs par lesquels toute réalité est détournée au profit d'un certain type de discours dont la logique semble infaillible pendant qu'on l'entend. Les discours sont infaillibles et s'annulent l'un l'autre. Pendant ce temps, deux jeunes gens, Spade et Beaumont, arrivent en ville pour y faire l'expérience d'eux-mêmes :

« Plan général d'une ville, vue d'une colline. C'est comme si le rideau s'était ouvert. Il fait jour. Le soleil brille. Silence. Quelqu'un, une voix d'homme dit : "Si j'avais su ça plus tôt." Pause. "Un beau jour, on se sèche les mains et on voit une carte postale illustrée piquée contre la glace ; on s'approche : une ville. Une ville, pourquoi on n'a pas eu cette idée plus tôt ? C'est comme si on avait la fièvre. On se déshabille jusqu'au maillot de corps et on se lave à l'eau froide. On tremble de désir lorsqu'on va à l'armoire et se met une chemise neuve." »

La précision gestuelle et visuelle devait presque nécessairement conduire à l'expression par l'image, comme l'indique le mot « séquence », au lieu de « chapitre » ou « plan général », utilisé à plusieurs reprises. Le livre *Chronique des événements courants* est en effet le scénario d'un film que Peter Handke réalisera pour la télévision allemande : mais, si le texte et le film disent la même chose, ils sont pourtant indépendants l'un de l'autre. La « traduction » du texte en images est à chaque plan aussi inattendue et surprenante que le texte lui-même, qu'on ne reconnaît jamais tout en l'identifiant toujours. On lit le film et on regarde le texte. Les images deviennent une histoire, et les mots, des images très nettes et précises. Il y a à la fois démontage du langage et exactitude visuelle, mais aussi remise en question de ce qu'on peut faire faire à la réalité : c'est-à-dire dérision (les jeux télévisés à la fois absurdes et terrifiants par leur stupidité même).

Beaumont et Spade, les deux « héros », rencontrent Kelly (séquence 33), qu'ils accompagnent (séquence 35) ; pendant ce temps-là, on voit la table ronde réunissant les personnages dont les noms ont été cités plus haut, ou bien les jeux télévisés que le scénario décrit minutieusement. Mais rien dans le livre ni dans le film ne se succède selon l'ordre attendu (par exemple, séquence 30). Le « spectacle » de la réalité ramène à chaque instant la conscience à son vide. Les voix de Spade et de Beaumont disent cette impasse poétique devant l'image d'une rue vide :

« On ferme les yeux et on les rouvre, et on croit que pendant ce temps-là tout devrait avoir changé. »

Et après une pause :

« On ferme les yeux et on croit que tout devrait avoir changé, de manière qu'on puisse rouvrir les yeux. »

Pendant que débouche une voiture dont sort l'un des participants de la table ronde, Tollett, qui extrait une valise de son coffre, les voix disent :

« On ferme les yeux de sorte que tout puisse changer pendant ce temps-là, mais alors il est trop tard pour rouvrir les yeux. »

Le film réalisé par Peter Handke (diffusé par le WDR, la télévision de l'Allemagne du Nord, le 10 mai 1971) exprime par l'image toute la nouveauté du texte, tout en étant tout autre. Très proche d'un film de Godard, il montre ce que de coutume l'image cinématographique néglige : un parcmètre en gros plan, un téléphone qui pend au bout de son fil, les chiffres d'une pompe à essence qui tournent. La réalité pourrait bien être ailleurs, c'est-à-dire à portée de main. Le film et le texte font se succéder jeux télévisés, désarroi privé, tables rondes ou trajets en ascenseur, comme s'il s'agissait pour le lecteur ou le spectateur de capter pour lui-même ce moment poétique qui lui appartient en propre et qui lui permettra de raccorder poétiquement ce qu'il voit et entend. C'est par l'inattendu des images qu'il se trouvera libéré de la logique des discours qui ont « absorbé le monde ».

3

Où va le regard ?

Les trajets et la vision

Désormais, la conscience de soi s'est établie. Chacun des livres de Handke a « décapé », défini avec de plus en plus de précision la zone exacte du « soi », anonyme et vide.

Tous ces textes expriment une sorte de malaise. La peur, on l'a vu, en est un élément constitutif tout comme la sensation d'enfermement, dont la netteté accrue a permis l'identification des modes sociaux, des « schèmes d'obéissance » au sein desquels la conscience est contrainte de s'enfermer. Mais, au lieu d'en proposer, comme on pourrait s'y attendre, la destruction et l'élimination afin de retrouver un « monde neuf », Handke fait à tout instant jaillir ce monde neuf dans ce qui existe déjà.

S'il est relativement aisé d'édifier une vision critique du monde social, il est peut-être beaucoup moins aisé d'accéder à une perception non codée, non préparée du monde extérieur. Bergson avait déjà montré que toute perception procède de l'efficacité :

> « La vision d'un être vivant est une vision efficace, limitée aux objets sur lesquels l'être peut agir : c'est une vision canalisée, et l'appareil visuel symbolise simplement le travail de canalisation[23]. »

Or le poétique commence exactement là où s'amorce l'effort de pensée qui tente de saisir « les choses de la vie » autrement qu'à travers ce cadre perceptif disposé une fois pour toutes ; il y a toujours un moment extrêmement bref et presque imperceptible où la perception, avant de se *canaliser* dans le reçu, reste à l'état naissant, non encore organisée pour son intégration à la vision globale habituelle. C'est le moment sur lequel l'attention doit se porter. Mais pour en remarquer l'existence, pour en capter ce « juste avant », cet instant de la « sensation vraie », il faut qu'il y ait eu d'abord délimitation, identification de la conscience de soi : la peur, on l'a vu, est l'un de ces « moyens », car elle exacerbe la conscience de soi au point de la rendre à tout jamais reconnaissable à elle-même et de situer le monde environnant selon cette reconnaissance.

Dans *l'Angoisse du gardien de but,* le passage cité sur le réveil de Bloch continue en ces termes :

> « Il croyait se tâter lui-même de façon désagréable, mais il remarqua alors que sa conscience de lui-même était si forte qu'il la ressentait comme un toucher sur toute la surface du corps ; comme si la conscience, comme si les pensées en étaient venues à porter la main sur lui, à l'attaquer, à s'en prendre à lui-même. »

La représentation et la sensation de l'espace physique constituent le contenu général, le « lieu géométrique » de toute conscience de soi[24]. Le malaise de Bloch – il n'est autre que cette douleur au milieu de la poitrine dont parlait déjà le Werther de Goethe[25] – devient donc un moyen d'investigation de l'espace, de ce qu'on a autour de soi pendant que l'attention est détournée à d'autres fins par l'action quotidienne. La conscience de soi n'est rien d'autre que l'espace commun tel que chacun le parcourt. C'est pourquoi désormais le voyage, le déplacement, la marche, les trajets en autobus surtout occuperont une telle place dans l'œuvre de Peter Handke, sur ce plan aussi, fidèle reflet de sa vie personnelle, car tout ce qu'il a écrit a d'abord été « marché » ; c'est dehors, en marchant, que ce qu'il écrit naît dans l'esprit, dans le corps de Peter Handke ; pas de jour où il n'ait marché plusieurs heures à pied. C'est à pied qu'il a parcouru la banlieue parisienne et Paris, c'est à pied qu'il parcourt, des semaines durant, la Slovénie, couchant dans des abris de fortune quand il ne trouve pas d'auberge ou d'hôtel.

*Peter Handke et son traducteur français
Georges-Arthur Goldschmidt, dont il est l'ami
(et le traducteur), au bord du canal de l'Alm.*

La Courte Lettre pour un long adieu montre bien l'importance du voyage dans l'œuvre de Peter Handke. Ce roman fut écrit en 1971 après un séjour de plusieurs mois aux États-Unis. *La Courte Lettre pour un long adieu* est le premier livre de Handke où figurent des lieux précis, géographiquement désignés. Les désignations de lieux ne reparaîtront dans l'œuvre de Handke que des années plus tard, dans *la Leçon de la Sainte-Victoire.* Comme il le dit lui-même dans *Espaces intermédiaires* (conversations traduites par Nicole Casanova, éd. Bourgois), l'appellation des lieux a toujours été pour lui le problème essentiel des descriptions, car nommer entrave le déroulement de la vision des lieux.

L'objet de *la Courte Lettre* est un périple à travers les États-Unis, une poursuite en réalité : un mari séparé, accompagné de sa fille d'un an, est pourchassé à travers le continent américain par sa femme qui prétend vouloir le tuer. Au moment où ils se rejoignent à l'autre bout des États-Unis, sur la côte du Pacifique, réconciliés, ils se sépareront définitivement. De Boston à Twin-Rocks, en passant par Colombus et Tucson, le lecteur peut suivre le trajet du narrateur à l'aide d'une carte géographique en fin de volume ; l'espace est lui-même déjà l'aventure essentielle du « soi ». Nul « exotisme » dans la description des lieux, finalement inconnus à la plupart des lecteurs, mais une étrange familiarité au contraire, comme si chacun pouvait facilement y situer son corps.

Une fois encore, c'est l'angoisse qui donne ici toute sa précision au regard. Dès les premières lignes du texte, l'un et l'autre n'existent que réciproquement. Le récit écrit au passé se déroule rétrospectivement. La rue de Providence (Rhode Island) où se trouve l'hôtel Wayland Manor, où l'auteur va séjourner, devient visible à travers l'angoisse ressentie par l'auteur lorsque à la réception on lui remet une courte lettre menaçante de sa femme. L'angoisse, la peur opèrent une cristallisation de la vision :

> « La Jefferson Street est une rue tranquille de Providence. Elle contourne les quartiers commerçants et débouche dans le sud de la ville, devenue

entre-temps Norwich Street, sur la route d'accès à New York. Par endroits, la Jefferson Street s'élargit pour former de petites places bordées de hêtres et d'érables. Sur l'une de ces places, le Wayland Square, se trouve un assez grand bâtiment dans le style des maisons de campagne anglaises : l'hôtel Wayland Manor. Lorsque j'y arrivai, à la fin d'avril, le portier prit en même temps que la clef une lettre dans le casier et me les tendit toutes deux. Devant la porte ouverte de l'ascenseur où le liftier attendait déjà, je déchirai l'enveloppe, qui d'ailleurs collait à peine. La lettre était courte et disait : "Je suis à New York. S'il te plaît, ne me cherche pas, il n'est pas souhaitable que tu me trouves." »

Dès ces premières lignes, célèbres, qui ouvrent le livre, la menace est située ; la femme, toujours absente, mais qui suit le narrateur à la trace, peut soudain apparaître en un point précis de cet espace. Peter Handke continue en ces termes :

« Aussi loin que je peux me souvenir, je suis comme né pour l'épouvante et l'effroi. Il y avait des bûches éparpillées partout, éclairées par le soleil, dehors dans la cour, quand on m'eut emporté dans la maison au passage des bombardiers américains. Des gouttes de sang luisaient sur les marches de l'entrée des maisons où, en fin de semaine, on tuait les lapins. »

La précision et l'épouvante s'associent donc au déplacement, tout comme dans *l'Angoisse du gardien de but*. Au lieu d'être dispersées et arbitraires, énumérées selon les hasards de l'« inspiration », les sensations et les impressions décrites dans le livre sont, tout au contraire, à la fois la durée de la conscience de soi et sa consistance.

Au fur et à mesure que l'acte d'écriture de Peter Handke se déploie – et le déroulement en est la durée –, il s'approfondit, se délimite et s'étend tout à la fois : on est ici au cœur d'une expérience où le « poétique » et le « philosophique » se confondent.

« Il s'agissait, écrit encore Bergson[26], de ressaisir la vie intérieure au-dessous de la juxtaposition que nous effectuons de nos états dans un temps spatialisé. [...] C'est, disions-nous, la continuité indivisible et indestructible d'une mélodie où le passé entre dans le présent et forme avec lui un tout indivisé et même indivisible, en dépit de ce qui s'y ajoute à chaque instant, ou plutôt grâce à ce qui s'y ajoute. »

C'est le fil de cette mélodie que le lecteur déroule en lui-même tout au long de sa lecture de *la Courte Lettre*. Or c'est la continuité de cette vie intérieure au-dessous des juxtapositions usuelles de la vie quotidienne que découvre l'acte d'écriture par la concentration qui lui est propre :

« Cherchons au fond de nous-mêmes le point où nous nous sentons le plus intérieurs à notre propre vie. C'est dans la pure durée que nous nous replongeons alors, une durée où le passé, toujours en marche, se grossit sans cesse d'un présent »,

écrit encore Bergson[27]. Lorsque cet effort de concentration est parvenu à ce point, le narrateur est le plus « intérieur à sa propre vie », il a atteint le point où il accède à cet autre temps qui se manifeste dans ce sursaut *(Ruck)* où s'inaugure la découverte poétique du monde.

Redescendu de sa chambre où il a pris un bain, le narrateur se rend au bar presque désert de l'hôtel. La barmaid l'y invite à jouer aux dés avec elle et deux autres clients. Le narrateur raconte :

« En secouant mes dés, il m'arriva quelque chose d'étrange : j'avais besoin d'un certain chiffre, et, lorsque je retournai le gobelet, tous les dés restèrent aussitôt immobiles à l'exception d'un seul ; mais, pendant qu'il roulait encore entre les verres, je vis l'espace d'un éclair, sur l'une de ses faces, le chiffre dont j'avais besoin. Et le dé s'immobilisa enfin avec le mauvais chiffre sur le dessus. Cela n'avait duré que le temps de voir le bon chiffre et pourtant il avait eu une telle force qu'il me sembla l'avoir vraiment vu sortir, pas maintenant, mais en un AUTRE TEMPS.

» Cet autre temps pourtant ne voulait pas dire l'avenir ni le passé, il était par lui-même un AUTRE TEMPS que celui où je vivais d'habitude et que ma pensée pouvait remonter ou devancer. Sensation pénétrante d'un AUTRE TEMPS où il devait aussi y avoir d'autres lieux où tout ne pouvait avoir qu'une signification autre que les choses n'en avaient aujourd'hui dans ma conscience... »

Ce moment infime rejoint les assises du monde telles que Sorger, le géologue de *Lent Retour,* les explorera, telles qu'elles se situeront autour de Loser dans *le Chinois de la douleur.* Dès cet instant, on le voit, est préfiguré tout le déploiement de l'œuvre de Handke.

De façon discontinue, momentanée, le narrateur découvre la continuité, c'est-à-dire ce temps, cette durée recouverte, masquée par le resserrement des nécessités quotidiennes. L'attention ici devient mémoire, et la conscience de soi conscience de l'espace :

« Des rangées de maisons et des rues naissaient progressivement des ondes, des hésitations, des emmêlements et des secousses, qu'elles avaient laissées en moi. Et lorsque les vibrations devinrent des bruits il s'y ajouta un bruissement, une rumeur comme venus du lit d'un fleuve sous une contrée submergée. »

En lui-même, le narrateur voit passer les images qui surgissent en lui, jusqu'aux confins du monde, jusqu'aux origines qu'il explorera dans *Lent Retour.* Tout le voyage à travers les États-Unis sera ainsi un continuel passage de soi-même en soi-même, comme si la continuité du soi, comme si la durée s'établissaient bel et bien par leur passage dans l'espace. C'est encore Bergson qui écrit :

« Il n'y a pas de différence essentielle entre passer d'un état à un autre et persister dans le même état. »

Et qui ajoute un peu plus bas :

« Un moi qui ne change pas ne dure pas[28]. »

Le déplacement et le voyage situent la durée dans l'espace, sans pourtant la confondre avec lui, comme s'ils en dessinaient la trace. La diversité des paysages devient le matériau de la conscience et en assure la continuité. Les impressions laissées par les paysages, par leur dimension, par leur situation dans l'espace donnent à la conscience de soi un champ d'extension qui la dépasse. Les assises du moi sont les assises du monde :

> « Nous repassâmes par-dessus le highway pour rentrer. Les étoiles étaient déjà levées et la lune si claire qu'on voyait les voitures apparaître là-bas dans le tournant en jetant de grandes ombres. Quand elles se rapprochaient, elles perdaient leurs ombres ; entre les lumières du motel et celles du restaurant, elles s'aplatissaient. »

La place des objets dans l'espace, ici leur changement d'aspect, localise la conscience de soi. Le « moi » est toujours quelque part et c'est ce lieu qui importe, le *où* de ce moi. Par son inscription dans l'espace, par sa nature « étendue », ce « moi » devient parfaitement anonyme ; plus il ressent cet espace, moins il est particulier ou narcissique.

Une fois encore, le « moi » dépasse ici la personne du narrateur, car son intimité – les images qui apparaissent en lui – est celle de chacun des lecteurs :

> « Lorsque ce soir je revins d'Autriche et d'Allemagne, je me sentis soudain, à la sombre porte de la Muette, au bord du bois de Boulogne, comme quelqu'un dont l'existence se déroulait en même temps encore – une sorte de biographie cachée – dans le petit village natal de Carinthie, physiquement, devant les yeux de tous les habitants du village ; et mon corps en cet instant s'étendait d'une manière douloureuse, mais presque consolante, à travers l'Europe où je me perdais

en longueur et en largeur – comme si je n'étais plus qu'une unité de mesure »,

note Peter Handke, le 1er mars 1976, dans *le Poids du monde.* Chaque « je » est le milieu d'un cercle gigantesque qu'il déplace à chaque instant et dont il ne cessera jamais d'occuper le milieu.

> « Ce lieu où je suis, en effet, n'est pas un emplacement, mais une situation dont je ne puis me dissocier puisqu'elle est le foyer même autour duquel se disposent les repères de mon existence »,

écrit le philosophe Pierre Kaufmann : l'expérience littéraire et philosophique coïncident, on le voit, lorsque cette dernière n'est pas simple bavardage[29].

Si les deux parties qui composent *la Courte Lettre pour un long adieu* sont introduites chaque fois par une épigraphe extraite d'*Anton Reiser,* de Karl Philipp Moritz[30], c'est bien parce que cet admirable et bouleversant roman « de formation » est tout entier construit sur l'édification d'une personnalité dans sa relation avec l'espace. C'est pourquoi l'enfant qui accompagne le narrateur pendant une partie du trajet (de Phoenixville à Saint-Louis) joue un rôle essentiel : la perception de l'espace par l'adulte est infléchie par la façon dont le petit enfant manifeste son bien-être ou son malaise, occupe l'espace et le voit en raccourci. Claire, la mère du petit enfant, dans la voiture de laquelle le narrateur fait une partie de son voyage à travers les États-Unis, décrit très clairement, dans un long passage, cette relation presque panique des enfants avec les objets et l'espace qui les entourent[31].

C'est à travers cette relation panique de l'enfant avec le monde que le narrateur reconnaît la sienne et reconnaît sa propre façon de voir comme commune aux autres.

Depuis qu'il est en Amérique, dit-il, il se souvient toujours davantage, surtout à travers les moments de peur :

> « Il n'y a que les moments de peur dont je me souvienne aussitôt parce que le monde et les

rêveries, d'habitude sans rapport, devenaient tout à coup une seule et même chose. [...] Les états de peur ont toujours pour cette raison été pour moi des moyens de connaissance ; quand j'avais peur, j'étais attentif à ce qui m'entourait, car j'allais peut-être en tirer un signe de ce que les choses s'amélioreraient ou empireraient encore, et plus tard je m'en souviendrais. »

La peur et l'attention sont donc encore, dans ce livre, étroitement associées, comme si l'espace allait tantôt en se rétrécissant, tantôt en s'élargissant. On retrouve ici encore une fois Pierre Kaufmann : « La joie dilate le monde et l'angoisse le contracte. » La « sensation de soi » est une sensation géographique. Chaque paysage se superpose à un autre semblable, la lumière d'un après-midi est comme issue de celle d'un après-midi antérieur, chaque instant de soi-même est quelque part ou, plutôt, n'est cet instant de soi-même que parce qu'il est ce lieu-là où je me trouve et qu'il fut un autre lieu où je me trouvai déjà. Les choses et les êtres existent par référence à d'autres. Ainsi, le narrateur superpose sa vie à celle de Heinrich Lee, le personnage d'*Henri le Vert,* un célèbre roman de « formation » écrit au milieu du XIXe siècle par le grand écrivain suisse allemand Gottfried Keller. Le narrateur illustre sa vie désormais par la similitude qu'elle recèle avec celle d'autrui ; ce qu'on reconnaît en soi, c'est justement ce qu'on a en commun avec d'autres.

À l'arrivée à Indianapolis, le narrateur voit par la fenêtre de sa chambre d'hôtel, dont il vient d'ouvrir le rideau, un cyprès sur une colline qui « oscille doucement dans un mouvement semblable à la respiration ». Ce cyprès devient l'objet de la conscience de soi, son contenu :

« Je ne respirais plus, ma peau mourait ; avec un sentiment de bien-être auquel je ne pouvais rien, je sentais le cyprès prendre la place du centre nerveux commandant ma respiration, il me faisait osciller à son rythme, se libérait de moi, je sentais que je cessais d'être un obstacle et qu'enfin devenu superflu j'étais éliminé. »

Le narrateur parvient à une aperception de lui-même aussi vide et aussi précise que celle de Bloch dans *l'Angoisse du gardien de but,* mais fondée, ici, sur sa nature purement spatiale :

« Aussitôt que je sentais la chaleur de mon corps dans un fauteuil, je m'asseyais dans un autre. Puis je restai debout parce que tous les sièges me semblaient chauds de moi. »

Plus le contact physique de l'espace est précis et fort, plus la conscience de soi – si elle ne se fond pas à cette sensation d'espace – est un malaise d'être, un obstacle. Le sentiment d'être détourné de soi par l'histoire individuelle empêche le narrateur de se fondre entièrement dans la contemplation du cyprès et le fait s'appréhender lui-même avec encore plus d'intensité :

« Je n'avais pas le droit d'être mon représentant, je m'étais introduit en fraude. [...] J'allais me déverser moi-même, tomber hors de moi et ne plus être là. Que faire de moi ? J'étais de trop, je m'étais faufilé dans quelque chose et me voilà pris sur le fait. »

La perception est si précise, si acérée qu'elle devient une sensation corporelle, celle des propres contours de celui qui regarde et se voit lui-même (cf. Bloch) dans la solitude, cette solitude autour de laquelle l'espace se referme :

« C'était insupportable d'être isolé et seul avec soi-même. Il fallait une relation avec quelqu'un d'autre, relation non seulement personnelle, fortuite et unique, et où on n'est pas contraint de s'appartenir l'un l'autre à coups d'amour forcé et mensonger, mais relation bien plus nécessaire et impersonnelle[32]. »

Désormais, la possibilité d'accès à autrui est donnée. Le malaise intérieur ouvre sur cette relation d'autant plus profonde qu'elle est impersonnelle : l'espace et le souvenir sont communs à tout le

L'un de ces bateaux sur le Mississippi dont parle
la Courte Lettre pour un long adieu.

monde. Peter Handke, ou le narrateur, si on veut, est allé si en avant en lui-même, il a prêté une telle attention à ce qui se passait en lui que son regard a plongé exactement sur ce qu'il partage avec tout le monde, sur cette *évidence* qu'on ne reconnaît pourtant qu'après un long travail d'approche, masquée qu'elle est par toutes les conventions et toutes les habitudes mécanisées et irréfléchies.

Tout ce que ressent le narrateur de *la Courte Lettre* dans son périple américain devient étrangement familier au lecteur. L'attention est désormais devenue la mémoire d'autrui. C'est peut-être ce que symbolise, à la fin du livre, la visite à John Ford dans son jardin de Bel-Air, John Ford en qui la mémoire individuelle devient aussi mémoire, expérience vécue d'autrui.

Le passage et l'identification

C'est peu après la rédaction de *la Courte Lettre pour un long adieu* – été-automne 1971 – que survient la mort de la mère de l'auteur :

> « Sous la rubrique FAITS DIVERS, il y avait ceci dans un numéro du dimanche de la *Volkszeitung* de Carinthie : "Une mère de famille de A. (commune de G.), âgée de cinquante et un ans, s'est suicidée dans la nuit de vendredi à samedi en absorbant une dose massive de somnifères." »

Sur ces lignes s'ouvre *le Malheur indifférent,* ce petit livre de cent vingt-deux courtes pages dont le retentissement fut immense dans tous les pays du monde ; il a été traduit en plus de vingt langues.

Son retentissement fut d'autant plus grand que la pointe extrême de la subjectivité y devient description objective d'autrui. *La Courte Lettre pour un long adieu* avait révélé l'espace objectif et poétique de l'impression subjective ; que l'on songe, par exemple, au signal du bateau sur le Mississippi :

> « Ce bruit était si animal, si brutal et en même temps si pathétique, si fier quand on regardait les

volutes de fumée noire sourdre toujours plus vio-lemment, et le Mississippi si incommensurable-ment large que je ne pus faire autrement que de détourner le regard, gêné et en même temps physiquement saisi. La sirène était si énorme que pendant qu'elle résonnait je ressentis, écartelé par le bruit, des secondes durant, un rêve d'une Améri-que qu'on m'avait jusque-là seulement racontée. »

Désormais, tout s'approfondit aux dimensions de cette Amérique, mais la mort de la mère inverse le sens de ce déploiement et lui donne une dimension ponctuelle, minuscule, mais où le détail infime acquiert justement une grandeur universelle. Le narrateur, qui, après le suicide de sa mère, croit pouvoir continuer à travailler pour écrire sur elle, est pris d'une sorte d'hébétude, d'inertie, de gel intérieur – ce « silence hébété », sa réaction à la nouvelle du suicide, deviendra pourtant l'origine d'une nouvelle étape de l'écriture. Les premières pages du livre contiennent une délimitation très précise de l'acte d'écrire comme affranchissement de soi-même ; l'insignifiant s'y révèle tout à coup comme contenant tout l'édifice des souvenirs, tels que d'objet en objet ils englobent le monde entier. Lorsque le narrateur arrive pour l'enterrement, il découvre dans le porte-monnaie de sa mère un récépissé de lettre recommandée portant le numéro 432. Or, allant lui-même, le surlendemain, téléphoner au même bureau de poste d'où sa mère avait expédié la lettre avant de mourir, il voit le même

« rouleau jaune d'étiquettes de recommandés posé devant l'employé : on avait envoyé neuf autres lettres depuis, le prochain numéro était donc le 442, et cette image était tellement semblable au chiffre que j'avais dans la tête qu'au premier instant je ne sus plus où j'en étais et qu'un bref instant durant tout parut s'annuler. L'envie de le raconter à quelqu'un me réconforta littérale-ment » (*le Malheur indifférent,* trad. Anne Gaudu).

Les neuf lettres envoyées entre-temps l'ont été entre le suicide de sa mère et l'arrivée du narrateur ;

les étiquettes sont ainsi comme la trace de cette durée, elles en sont le signe qui en appelle la reconstitution.

Peter Handke, à qui la critique allemande, souvent superficielle et inattentive, a reproché parfois de se tenir hors de l'histoire, hors de la référence au politique, a, dans ce court récit, à la fois rejoint et dépassé toutes les préoccupations politiques. L'écrasement des paysans, l'impossibilité de « s'en sortir » se manifeste entièrement en quelques lignes dans l'exemple de ce grand-oncle qui avait obtenu une bourse au lycée et qui

« ne supporta pas ce milieu insolite plus de quelques jours et parcourut à pied, la nuit, les quarante kilomètres qui le séparaient de chez lui, et, revenu au petit matin, se mit à balayer la cour ».

Devenu « menuisier très compétent et content de l'être, il fut tué à la guerre ».

Aucune issue à cet emprisonnement dans la pauvreté, si ce n'est par l'illusion de « communauté » et d'intégration apportée après 1938 par l'*Anschluss,* l'annexion de l'Autriche par l'Allemagne nazie :

« Cette période aida sa mère à sortir d'elle-même, à devenir autonome. Elle acquit une contenance, perdit sa dernière crainte du contact. »

Elle découvrit des gestes, des attitudes qu'elle pouvait avoir en commun avec d'autres. La guerre elle-même sera au début une illusion de cette sorte : elle y apprend les distances entre la ville et le front. Elle vécut la guerre à Berlin et retourna en 1948 en Autriche, avec ses deux enfants, prenant les moyens de communication qu'elle pouvait dans l'Allemagne dévastée, marchant souvent à pied sur de longues distances, et ce sera le petit Peter Handke, âgé alors de six ans, qui portera sa petite sœur d'un an, dans un sac à provisions, tout le long de ce voyage de plusieurs jours. C'est grâce à sa connaissance du slovène que sa mère put franchir la ligne de la zone d'occupation russe et c'est grâce à un douanier qui la connaissait qu'elle put franchir, après un voyage de plusieurs jours, la ligne de démarcation en Autriche et retourner à Griffen où est né Peter Handke ; village pour une large part de langue slovène, donc marginal par rapport à l'ensemble de la population autrichienne. Un certain nombre d'habitants du village furent d'ailleurs déportés par la Gestapo. Dès l'origine, Peter Handke fait partie, on le voit, des émigrés, des non-intégrés, des persécutés.

Son attention extrême aux gestes, aux paroles, aux comportements de sa mère, tels qu'ils lui restent en mémoire, permet de retrouver cette « vérité » qui seule donne à une œuvre littéraire sa signification universelle ; toute la force de conviction de ce petit livre vient de l'effort fait par l'auteur pour entrer dans la mémoire telle qu'elle lui restitue autrui. Ici on retrouve, une fois encore, Bergson :

> « En réalité, le passé se conserve de lui-même automatiquement. Tout entier, sans doute, il nous suit à tout instant : ce que nous avons senti, pensé, voulu depuis notre première enfance est là, penché sur le présent qui va s'y joindre, pressant contre la porte de la conscience qui voudrait le laisser dehors. Le mécanisme cérébral est précisément fait pour en refouler la presque totalité dans l'inconscient et pour n'introduire dans la conscience que ce qui est de nature à éclairer la situation présente, à aider l'action qui se prépare, à donner enfin un travail *utile*[33]. »

C'est en sens contraire du « mécanisme cérébral » qu'est dirigé l'effort d'écriture de Peter Handke pour retrouver ce qui fut éludé, escamoté par les contraintes sociales et la pauvreté. Handke a su faire resurgir dans la mémoire les comportements les moins apparents, les gestes les plus fortuits de sa mère.

Au fur et à mesure que la détresse intérieure et la dépression s'approfondissent et se creusent, les détails notés deviennent plus inapparents et plus essentiels :

« Dans son épuisement, elle manquait les objets qu'elle voulait prendre, les mains lui glissaient le long du corps. »

Ou bien, lorsque son fils va la voir cet été-là, il la trouva

« un jour couchée sur son lit, avec une expression si désespérée que je n'osais plus m'approcher d'elle. Comme dans un zoo, c'était là l'état d'abandon fait chair, à l'état animal ».

L'écriture ici décèle non ce que les êtres humains cachent, mais ce que leur propre vie à l'intérieur d'un monde constitué socialement autour d'eux les empêche de formuler. Le « devoir » de l'écrivain, c'est justement cette « clairvoyance » tant refusée aux autres :

« Elle perdit toute sensation, ne se souvenait plus de rien, ne reconnaissait même plus les objets utilitaires habituels. »

Ou encore :

« Les portes se plaçaient sur son chemin ; la moisissure semblait pleuvoir des murs à son passage. »

La seule possibilité qui restait à sa mère dès l'origine, c'était de devenir un « type », c'est-à-dire d'exister selon un schème, un moule défini d'avance et dans lequel il suffisait de se laisser couler :

« Une telle description qui était celle d'un type permettait aussi de se sentir libéré de sa propre histoire parce qu'on ne faisait plus l'expérience de soi-même qu'au travers de ce premier regard d'un inconnu qui vous évalue en objet érotique. »

Parmi tous les éléments, Handke retient exactement ceux qui permettent de faire comprendre, par l'intérieur, l'existence de sa mère contrainte d'adopter des modes de vie établis d'avance et qui la délivrent momentanément de cette angoisse bientôt mortelle. Elle ne trouve aucun moyen de la formuler elle-même avec les termes qui lui conviendraient :

> « On vivait donc selon ces types assignés, on s'y sentait agréablement devenu objectif, on n'y souffrait plus de soi-même, ni de son origine moite et rance. »

Le malheur devient de plus en plus saisissant par son atonie même et s'accentue concentriquement de page en page. Or, de façon presque inverse, chaque détail matériel qui le décrit approfondit ce que la mère de l'auteur a d'universellement accessible : c'est le point précis où le particulier devient général ; les formulations qui ignorent délibérément sa mère en tant que « personnage principal » redeviennent à leur tour autonomes et fonctionnent comme un rituel obligé :

> « Chercher des formulations, c'était s'éloigner des faits.
> » Donc je compare la provision générale de formules pour la biographie d'une femme avec la vie particulière de ma mère, phrase par phrase ; des concordances et des contradictions naît alors l'écriture véritable. Seul importe que je n'introduise pas de citations pures ; même quand les phrases ont l'apparence d'une citation, elles ne doivent à aucun moment faire oublier qu'elles s'appliquent, pour moi, du moins, à quelqu'un de particulier. »

Ainsi, Handke ne décrit pas la pauvreté (traduction Anne Gaudu, p. 69-72), mais il la fait éprouver à la fois comme particulière et comme générale : par exemple, la « propreté » permet de masquer la « pauvreté » :

> « Dans certains foyers, par exemple, l'unique récipient pouvait servir de vase de nuit, et, le lendemain, on y travaillait la farine. »

Mais cela est désormais objet de dégoût pour ces mêmes pauvres : l'enfermement, l'oppression ont lieu un cran au-dessus ; la réalité de la pauvreté s'est déplacée, décalée. Ces « petites choses », retenues et notées par Peter Handke, étendent l'imaginaire à cette zone où le vécu particulier peut être revécu par chacun. La pauvreté n'est plus dénoncée, elle devient une angoisse physiquement perceptible à travers de courtes notations (on en retrouvera plus tard de semblables dans *le Poids du monde*).

Leur brièveté, presque leur parcimonie, fait surgir à la frange de la mémoire et de l'oubli tout ce qu'a rejeté cette fonction d'oubli dont parlait Bergson : « La bouteille de liqueur de jaune d'œuf dans la crédence », ou encore : « Angoisse mortelle quand on se réveille la nuit et que la lumière brûle dans le couloir. »

L'histoire racontée dans *le Malheur indifférent* est

> « faite d'instants où la conscience a un sursaut d'horreur ; d'états d'épouvante si brefs que, pour eux, le langage arrive toujours trop tard ; d'éléments de rêve si abominables qu'on a réellement l'impression qu'ils rongent la conscience ».

Plus donc l'individualité est atteinte par l'écriture dans sa nature même, plus elle risque d'être partagée par autrui. Et c'est précisément pourquoi Handke peut écrire à la fin de son livre :

> « Il n'est pas vrai qu'écrire m'ait été utile. Les semaines pendant lesquelles cette histoire m'occupait, l'histoire aussi n'a cessé de me préoccuper. L'écriture n'était pas, comme je le croyais bien au début, le souvenir d'une période révolue de ma vie, mais ce n'était constamment qu'une attitude du souvenir sous forme de phrases dont la distance n'en était une que prétendument. La nuit encore je m'éveille parfois en sursaut, sorti du sommeil par une poussée infime et retenant mon souffle, je me sens littéralement pétrifié de terreur de seconde en seconde. »

Peut-être l'objet de l'écriture est-il fait de

> « ces "formes de désespoir nouvelles, insoupçonnées que nous ne connaissons pas", dont parle

un instituteur de village dans un film policier de la série *le Commissaire* ».

A première vue, *le Malheur indifférent* fait entendre un ton nouveau, mais, à y regarder d'un peu plus près, tout texte de Handke est déjà dans ceux qui le précèdent, en germe, en gestation ; comme si la durée littéraire consistait à préluder à ce qui va suivre, sans jamais tenter de le devancer.

Le Malheur indifférent était ainsi comme préfiguré dès les toutes premières pages de *la Courte Lettre pour un long adieu* :

« Une fois [écrit Peter Handke], à la nuit tombante, j'avais cherché ma mère au sommet d'une croupe rocheuse. De temps à autre, elle était prise de mélancolie et je pensais que si elle ne s'était pas jetée en bas, elle s'était laissée tomber. J'étais debout sur le rocher et je regardais le village en bas, où le crépuscule tombait déjà. Je ne vis rien de particulier. Quelques femmes groupées, leur cabas sur le sol, comme si elles avaient eu peur, et que quelqu'un d'autre encore alla rejoindre, me firent me rendre compte que je cherchais des lambeaux de vêtements sur les avancées rocheuses, en contrebas. Je ne pouvais plus ouvrir la bouche, l'air me faisait mal ; tout s'était effondré en moi à force de peur. »

Par le regard d'autrui

« Plus tard j'écrirai de façon plus précise sur tout cela. » Cette phrase termine *le Malheur indifférent,* comme si chaque livre était le point de cristallisation du suivant.

Tout ce qui, dans *le Malheur indifférent,* était retenu à fleur de texte, tous les petits gestes et petits objets autour desquels allait se développer toute une histoire, toute une mémoire, tout cela se trouve, pour ainsi dire, raconté dans la pièce *Les gens déraisonnables sont en voie de disparition,* écrite en 1973 à Kronberg, aux environs de Francfort, où Handke avait acheté une maison dont il sera question, d'ailleurs, dans *Histoire d'enfant.*

Les hommes d'affaires devraient se comporter en hommes d'affaires. Ils devraient correspondre à un type donné, comme Brecht l'a décrit. Ils devraient être reconnaissables comme hommes d'affaires dès leur entrée en scène. Dans le théâtre de Brecht, malgré ou peut-être à cause de son extrême habileté, la surprise, si elle existe, n'est jamais que simplement intermédiaire. Au bout du compte, on devrait retrouver, tel qu'il était préparé, établi, prévu, organisé d'avance, le schème d'obéissance convenu installé au sein de la grammaire adéquate.

Or que voyons-nous sur scène ? Des personnages qui sont justement ce qu'ils ne devraient pas être, pour qui est devenu possible ce qui fut refusé à la mère du narrateur de *Malheur indifférent*. Tout ce qui est dit dans *Les gens déraisonnables sont en voie de disparition* faisait partie de cette parole sous-jacente, jamais dite, toujours éludée et que, pourtant, chacun attend ; or ce sont justement – provocation volontairement paradoxale – des hommes d'affaires qui le disent.

Ici, en particulier, Quitt, le personnage principal de la pièce, tente de se rendre libre pour les sensations secondaires, pour tout ce à quoi il ne devrait pas, professionnellement, penser.

La première scène de la pièce, à la fois narquoise et mélancolique, ramène à la surface, en quelques mots, l'inobservé, le « laissé de côté », à la fois présent et refoulé de la vie des personnages :

QUITT : Je suis triste aujourd'hui.
HANS : Oui, et alors ?
QUITT : J'ai vu ma femme en peignoir, ses ongles de pied vernis, et je me suis senti tout à coup seul. C'était une solitude si palpable que je peux en parler tout naturellement. Elle me soulagea, je m'émiettai, me fondis en elle [...]. En riant, j'entendis mes propres bruits comme ceux d'un inconnu dans une cabine à côté. Lorsque je pris le tramway pour aller au bureau...
HANS : Pour ne pas perdre contact avec les gens simples, étudier leurs besoins et créer de nouveaux produits ?

QUITT : ... la triste courbe que le tramway décrivit, un vaste arc de cercle, me blessa le cœur comme un rêve de nostalgie.
HANS : Le mal du siècle blesse le cœur de monsieur Quitt. Restez raisonnable, monsieur Quitt. Dans votre classe sociale, on ne peut se permettre ces états-là. Un chef d'entreprise, s'il parle comme ça, même s'il le ressent, ne fait que déclamer. Inutiles vos sentiments, du luxe...

Délibérément, tout est à la fois suranné et moderne, sensible et sarcastique. Tous les comportements sont démasqués, mais toujours dans les deux sens, et la réalité surprend toujours les uns et les autres, les chefs d'entreprise aussi bien que leurs employés. Les sentiments d'un chef d'entreprise sont du luxe, ceux de ses employés du temps perdu. Quitt le dit avec cet humour qui n'est que clarté d'esprit :

« Sans la poésie, nous éprouverions pour nos affaires la honte du premier homme. À propos, énumère-moi qui vient aujourd'hui. »

Bien entendu, Quitt n'a qu'un seul but, éliminer ses partenaires et concurrents, Lutz, von Wullnow et Koerber-Kent, ce dernier évêque, au demeurant. Mais, et c'est bien là le comique de la pièce, il n'est ni comme les autres attendent qu'il soit ni comme il devrait être si on considère les fonctions qu'il exerce. Les personnages ne parviennent jamais à s'en tenir à ce dont ils parlent, leur « sujet », pour lequel ils sont venus finalement chez Quitt, tout comme les actionnaires de *Bienvenue au conseil d'administration* sont venus toucher leurs dividendes, leur « sujet », donc, ne cesse de leur échapper. Soit c'est Quitt qui les détourne de ce dont ils devraient parler (l'entente commerciale), soit ils s'en écartent d'eux-mêmes ; l'ordre des fonctions établies est en permanence dérangé, troublé par la réalité successive et imprévisible de « ce qui leur passe par la tête ».
C'est l'homme d'affaires le plus avisé qui trouble les affaires par l'intrusion de l'inattendu : ainsi le petit actionnaire Kilb, « la terreur des conseils d'administration, le pitre des assemblées générales,

la tique dans le nombril de l'économie... », prend le relais de Quitt pour désarticuler, non le système, mais la relation qu'ont édifiée ou que croient avoir édifiée les individus avec le système. Cette « part échappée » est le sujet de la pièce. Rien de tout cela n'empêche l'« économie de marché » de fonctionner parfaitement, mais désormais sur un fond d'impropriété poétique.

Tous, à un moment donné, sont pris au dépourvu par eux-mêmes. Tous, tour à tour, sont rattrapés par des souvenirs inappropriés et qu'ils ne parviennent plus à distinguer très bien des impératifs commerciaux : désormais, tout se mêle, et la femme qui vient confidentiellement demander à von Wullnow, propriétaire d'une chaîne de supermarchés, en tournée d'inspection, incognito,

« s'il y a encore des paquets de lessive géants de l'offre spéciale de la semaine dernière »

est aussi « réelle » que, par exemple, le petit actionnaire Kilb qui se met la main sous les aisselles et produit des bruits de pets pendant que le même von Wullnow raconte cette histoire.

Quitt sait mieux que personne faire marcher ses entreprises ; il fait publier un placard d'une page entière

« une fois par semaine dans la presse à grand tirage. Elle énumère les produits les plus souvent volés dans notre trust. Nous envoyons cette liste en même temps comme affiche aux points de vente. Là, on construit une sorte d'autel avec les produits indiqués et on suspend au-dessus l'affiche : LES PRODUITS LES PLUS SOUVENT VOLÉS DE LA SEMAINE. Cela stimule la vente ».

Quelques répliques plus haut, ne venait-il pas de décrire une fois encore la solitude et le mal d'être ?

« Juste au moment où j'étais en train de m'habiller et de me regarder dans la glace, il m'a paru, tout à coup, ridicule d'avoir les cheveux qui poussent. Ces petits fils insensibles et indifférents. »

Tout existe à la fois, rien n'est exclusif du reste, cynisme et sentiment peuvent fort bien cohabiter. Les choses se confondent, se superposent et se contredisent. La mise en scène que Claude Régy a donnée de cette pièce à Nanterre, en 1978, a fait clairement apparaître cette non-coïncidence entre les gestes ou les intentions avec ce qu'ils sont censés figurer. Régy a fait ressortir l'aspect à la fois évident et surprenant de la pièce, c'est-à-dire sa poésie. Von Wullnow, par exemple, qui a investi dans les supermarchés pour échapper au fisc et augmenter son chiffre d'affaires, est aussi celui qui dit :

« Les coffres à blé au grenier, le blé qui coule et les crottes de souris au milieu, les tourbillons de grain dans lesquels le souvenir s'enfonçait comme un pied nu de garçonnet, les grains entre les orteils, le nid de guêpes vide et pourtant peuplé par le souvenir sous la face intérieure des tuiles. Il faut que je m'arrête, le souvenir me fait devenir un homme bon. »

Ou c'est Koerber-Kent, l'ecclésiastique chef d'entreprise, qui donne un coup de main à l'artisan qui lui tapisse sa bibliothèque et qui décrit la peur mortelle qui l'étreint :

« Je sais lire les signes. Je sais pourquoi vous marchez les épaules remontées. Mais, bientôt, toi aussi tu pèseras le juste poids de la mort, Hermann Quitt. Et tu pourras toujours balancer les bras et trottiner dans tous les sens. Tu ne pourras pas même te figurer l'instant. Il n'y aura que des prémonitions fulgurantes, remplies d'une terreur animale. De peur tu n'oseras plus avaler et ta salive s'aigrira dans ta bouche. »

Le poétique d'une part, l'angoisse et l'épouvante de l'autre dissocient, évident la réalité sociale sans pourtant la détruire. Quitt, qui ruine ses associés l'un après l'autre, n'en est pas moins affecté par cela même dont il ne devrait tenir aucun compte. Il ne se fait pas lire par hasard par son chauffeur Hans un long passage – la lecture en dure plus de dix

*Gérard Depardieu et Wojciech Pszoniak
dirigés, en 1978, par Claude Régy, dans*
Les gens déraisonnables sont en voie de disparition.

minutes et occupe plus de trois pages imprimées – de *l'Homme sans postérité* d'Adalbert Stifter[34], dont le contenu d'émotion déborde très largement le texte. Ce passage dont Hans fait la lecture est comme l'emblème de la pièce, il en détermine la tonalité et s'inscrit parfaitement en elle. Soudain, les « choses » deviennent plus amples, plus vastes et plus précises. Rien ne fonctionne plus simplement selon le sens de ce que Bergson entendait par la « fabrication ». Tout à coup, la « réalité sociale » se déboîte. Il suffit d'une légère inattention – celle de Quitt à son réveil – pour que l'édifice laborieusement construit se lézarde et pour qu'apparaisse cet état de « vacance » d'un monde proche de l'enfance, que met si fortement en relief le texte de Stifter lu par Hans.

Dès lors, le souvenir vient tout déranger et tout troubler, ce souvenir qu'on s'était tant efforcé de laisser de côté et de ne pas faire intervenir dans les affaires. Et c'est von Wullnow encore qui dit à Quitt :

« Quitt, ce matin j'ai tenu un paquet de farine dans la main. Sais-tu depuis combien de temps je n'ai plus tenu de farine dans la main ? Je ne le sais plus moi-même. Le paquet était si doux et si lourd. Le poids dans ma main et la douceur de ce poids tout en même temps ! J'ai été transporté dans une irréalité délicieuse. Ça ne t'arrive pas aussi, parfois ? »

Ici, des phrases amorcées dans *la Chevauchée sur le lac de Constance* sont continuées, des phrases qui n'auraient jamais dû être dites, puisque, très simplement, elles viennent jeter le trouble dans la réunion. Chacun, en discordance avec ce qui se passe, se sent lui-même comme une sorte d'excroissance, de tumeur.

« Quand je pense à moi avec des concepts précis, j'ai à mon égard dégoût sur dégoût »,

dit encore Quitt à la fin de la pièce, et qui ajoute :

« Un jour, je marchais dans la rue et je remarquai que je n'avais plus rien à voir avec mon visage.

[...] De l'extérieur, les muscles retenaient une peau morte, puis une couche inerte succédait à l'autre ; tout à fait au plus profond, à l'intérieur, là où j'aurais dû me trouver moi, il y avait encore quelques secousses et cela contenait encore un peu de mon humidité. »

Le désaccord fondamental avec le monde environnant vient de ce qu'il est impossible de se confondre avec lui, impossible donc que ce monde des obligations quotidiennes soit le contenu véritable de la conscience de soi. C'est peut-être aussi pourquoi Quitt revendique le luxe comme étant la seule façon de vivre digne de l'homme. Il dit, en une formule provocante au premier abord :

« Seule une vie dans le luxe n'est pas une punition, pensais-je. Seul le luxe le plus extrême est digne de l'homme ; ce qui est bon marché, c'est cela qui est inhumain. »

Quitt déplace l'ordre de la formulation et du formulable pour que l'opération du langage se mette en place à un autre niveau. Si son « malaise » est encore celui du narrateur de *la Courte Lettre,* il est aussi par-delà, parce que le monde s'ouvre à partir de ce malaise.

« Un jour, troublé, j'étais assis au soleil. Le soleil m'éclairait sans que je le ressente et je me sentais vraiment comme le contour d'un néant, asphyxié dans l'air ambiant. Mais cela aussi, c'était encore moi, moi, moi. J'étais au désespoir, je n'arrivais ni à penser le passé ni le futur. Je n'avais plus le sens de l'histoire. Chaque souvenir venait isolément et sans harmonie, comme on se souvient d'un acte sexuel. Cette insensibilité qui faisait mal, c'était moi, et ce n'était pas seulement moi, mais aussi une caractéristique du monde. »

C'est parce qu'il n'arrive pas à trouver le passage de la réalité, de la fabrication « quotidienne » à la réalité du monde de l'imaginaire et du souvenir que Quitt se jette, à la fin de la pièce, la tête contre le mur pendant qu'autour de lui le ballon se dégonfle, le bloc de glace fond, un cageot de fruits roule dans l'escalier, qu'un tapis se déroule et que des serpents sortent du cageot comme si la dérision et l'effroi régnaient sur le monde.

4
L'espace et le regard

Trajets et villes

L'année 1973 fut pour Peter Handke une année d'une toute particulière fécondité, puisqu'elle vit naître au printemps une œuvre aussi importante que *Les gens déraisonnables sont en voie de disparition* et, au mois de juillet et août, à Venise, *Faux Mouvement,* qu'il a écrit pour une grande part à l'hôtel Sandwirt, sur le Grand Canal. Peut-être la lumière toujours changeante, toujours autrement orientée de ruelle en ruelle, le bruit des pas, différent de passage en passage et d'une place à l'autre, ont-ils orienté le voyage de *Faux Mouvement.*

Comme dans *la Courte Lettre,* les lieux sont nommés et reliés entre eux par le voyage. Mais cette dénomination des lieux n'en implique pas la localisation réelle. La réalité géographique d'un lieu importe peu, elle n'est que l'occasion d'en faire voir la configuration[35] où le lecteur, le spectateur peuvent se situer corporellement.

Faux Mouvement est le livre-scénario d'un film du même nom réalisé en 1974 par Wim Wenders, avec Rüdiger Vogler, Hanna Schygulla et Hans-Werner Blech. Ce film fait exactement se dérouler ce que lit le lecteur ; la superposition des lieux et du souvenir sera le contenu sous-jacent de ce que dira et fera Wilhelm, le personnage central du livre et du film. Il ne porte pas pas hasard le nom du personnage du *Wilhelm Meister* de Goethe. La référence à Goethe (il en est d'autres, à l'intérieur du texte, au *Taugenichts,* le propre à rien de Joseph von Eichendorff) est de l'ordre de l'expérience personnelle. Goethe assure pour Handke cette primauté du monde extérieur sur le monde intérieur qui place Handke complètement en dehors de ce « néoromantisme » où on pourrait peut-être être tenté de le situer.

Les références littéraires de ce court texte – Wilhelm Meister, le *Taugenichts* – ne sont pas « culturelles », mais font partie de la tessiture intime du personnage ; ces livres équivalent au déplacement dans l'espace, au voyage. La « poésie » rend les couleurs plus intenses et les lignes plus « nettes ».

L'écriture chez Handke ne se sépare jamais de son objet et, dans *Faux Mouvement,* elle n'a tant d'importance que parce qu'elle réussit à disparaître derrière ce qu'elle fait voir. Le film de Wim Wenders en est comme la matérialisation visuelle.

Tout commence par une localisation très précise de l'espace, par la conversion de l'immensité en un point minuscule où tout se fait, comme si la caméra y plongeait :

« La gigantesque place du Marché de Heide, dans le Schleswig-Holstein, les petites maisons au loin, au bord de l'horizon.

» Wilhelm de dos. Il est à la fenêtre de l'une des petites maisons et regarde dehors.

» La place du Marché d'un peu plus haut.

» Wilhelm, la croisée de la fenêtre et la place du Marché. Un chat sur le rebord de la fenêtre.

» Wilhelm casse la vitre d'un coup de poing. Le chat quitte le rebord de la fenêtre. »

C'est sur cette plongée qui va du très vaste au très réduit que s'ouvre *Faux Mouvement,* et la dénomination des lieux n'a pour fonction ici que d'en faire voir les superficies. Aussitôt commence le voyage qui conduira Wilhelm, par Hambourg, Soest, la vallée du Rhin et Francfort, jusqu'au sommet de la Zugspitze (2 958 m), le plus haut d'Allemagne. Ce voyage, Wilhelm le fera, par hasard, en compagnie d'un ancien criminel nazi, meurtrier d'un juif (il essaiera de le tuer sans pourtant pouvoir vraiment s'y résoudre) et de Mignon, qui exécute en compagnie

Faux Mouvement, *mis en images par Wim Wenders,*
avec Rüdiger Vogler et Hanna Schygulla.

de ce vieil homme des numéros de saltimbanque : une petite fille androgyne qui, bien entendu, ressemble tout à fait à la Mignon de Goethe dans les *Années d'apprentissage de Wilhelm Meister*.

À la fois inattendu et vraisemblable, le déroulement du livre fait voir la réalité poétique au milieu de la réalité quotidienne. Au moment où Wilhelm quitte sa ville natale, on découvre celle-ci et le train qui roule, en vue aérienne. On voit apparaître sur l'écran l'inscription suivante, comme écrite de la main même de Wilhelm :

> « Aujourd'hui, j'ai quitté ma ville natale. Alors que je passe devant les maisons, déjà je me rappelle. Ce que je viens de vivre, je l'ai en même temps déjà vécu dans le passé. C'était une belle journée de paix profonde. »

À tout instant, la perception plonge dans le souvenir, et le souvenir, à son tour, devient le moteur du voyage : chaque lieu fait voir à la fois ce qu'il est et les lieux qu'il évoque. Le déplacement à travers l'Allemagne, du nord au sud, n'est pas sans rappeler la traversée des États-Unis, d'est en ouest, dans *la Courte Lettre pour un long adieu*, comme si la personnalité ne se constituait que par la traversée de l'espace géographique petit ou grand.

« C'est quand je sens en moi la faim d'espaces, ne fût-ce que d'un petit détour que je me sens meilleur (dans tous les sens du mot) » écrira Peter Handke six ans plus tard[36].

Or, à y regarder de près, on voit que cette traversée de l'espace est aussi une traversée, non, certes, de l'histoire récente de l'Allemagne, mais de sa « tonalité », de son climat moral. Peu de textes permettent autant que ce bref scénario de saisir de l'intérieur le désarroi psychologique de l'Allemagne, à tout jamais marquée par la shoah, et que figurent à la fois l'ancien nazi en proie à l'obsession de son crime (ce qui n'a jamais dû être le cas, par définition) et l'industriel que les voyageurs viennent, par erreur, surprendre à l'instant où il pensait se suicider et qui parle, comme on n'a peut-être guère parlé avant lui, de la solitude allemande :

« Je voudrais seulement encore dire quelques mots de la solitude, ici, en Allemagne. Elle me semble plus dissimulée et en même temps plus douloureuse qu'ailleurs. [...] Proclamer des vertus comme le courage, l'endurance et le zèle avait pour seul but de détourner de la peur. Les philosophies étaient plus que nulle part ailleurs utilisables en tant que philosophies d'état, de sorte que des méthodes nécessairement criminelles, au moyen desquelles la peur devait être surmontée, se trouvèrent encore par-dessus le marché légalisées. »

La même angoisse s'exprime dans le poème écrit par un personnage, Bernhard Landau, qui se joint à eux et leur en fait la lecture. Paroles et gestes de chacun sont issus d'une longue durée : tant de lieux vus ou si peu de lieux vus tant de fois sont le matériau, la trace de cette durée. On la voit habiter les personnages au point qu'on voudrait voir ou connaître les lieux où ils furent avant d'apparaître dans le livre ou sur l'écran. Ce sont eux que fera voir, quatorze ans plus tard, *Poème à la durée,* où des lieux déterminés et reconnaissables par chacun incarnent la durée telle que tout le monde peut la vivre.

Les moments isolés, séparés dans le texte par des blancs, ne sont que les manifestations de ce « suspens » qu'est la durée, où le déroulement de celle-ci se concentre dans la perception :

« Percevoir, écrit encore Bergson, consiste en somme à condenser des périodes énormes d'une existence infiniment diluée en quelques moments plus différenciés d'une vie plus intense, et à résumer une très longue histoire[37]. »

On croirait, dans ces lignes de Bergson, lire un résumé de *Faux Mouvement.* Cette durée va, en effet, s'étendre au-delà d'elle-même, se ramasser en une étape ultérieure, d'autant plus dense, cette fois, que son champ de parcours sera plus réduit.

Les trajets dans la ville

Si, dans *Faux Mouvement,* la durée se déployait sur toute l'étendue de l'Allemagne, dans *l'Heure de la sensation vraie,* elle se ramasse en un seul lieu : Paris. Elle s'inverse en quelque sorte et se concentre sur la diversité d'un espace réduit. *L'Heure de la sensation vraie* marque biographiquement une étape nouvelle dans l'évolution de l'œuvre de Peter Handke ; le livre est marqué par le séjour de l'auteur à Paris. Il a été écrit du 22 juillet 1974 au 27 septembre 1974, dans l'appartement meublé qu'il avait loué boulevard de Montmorency. Anecdotiquement, il s'inscrit par son récit même dans la trame biographique de l'écrivain, mais la réalité des faits vécus n'en rend pas compte. Le propre de l'écriture est là, le vécu biographique n'en dit rien, même s'il le situe.

Comme presque toujours, le texte de Handke a été écrit à la machine. Parfois au rythme d'une page en une journée, parfois quelques lignes en dix heures. Parfois, des notes en marge devancent le texte. Le manuscrit tout entier, extrêmement serré, révèle à lui seul l'extraordinaire précision du travail d'écriture de Handke. Commencé à la troisième personne, le texte est corrigé à la main pour être mis à la première personne, mais cette solution est vite de nouveau abandonnée par l'auteur qui redonne à son personnage le nom de Keuschnig et s'en tient définitivement à la troisième personne.

Tant dans *la Courte Lettre* que dans *Faux Mouvement,* les parcours étaient longs, les contrées traversées vastes ; la sensation s'y assimilait à l'étendue. Dans *l'Heure de la sensation vraie,* en revanche, l'espace se réduit : porte d'Auteuil, rue Fabert, carré Marigny, Montmartre, place Armand-Carrel et Buttes-Chaumont, rue de Belleville et Opéra. Mais c'est dans ce champ réduit que va se concentrer, se ramasser tout l'espace des livres futurs qui en seront comme l'expansion.

Le malaise de soi dont la mère de Wilhelm parlait au début de *Faux Mouvement* : « Ne perds pas ton sentiment de malaise ni ta mauvaise humeur », cette indisponibilité essentielle qui caractérise les person-

Le boulevard de Montmorency à Paris.
Peter Handke a vécu plusieurs années au n° 177,
à gauche, au centre de la photo.

nages de Handke atteint ici son plus grand niveau de netteté ; il parvient, en effet, à être *figuré* entièrement par les objets ou les gens qui l'entourent. A la réduction la plus grande de la conscience de soi va correspondre sa plus grande précision.

L'Heure de la sensation vraie raconte quarante-huit heures de la vie de l'attaché de presse de l'ambassade d'Autriche à Paris : sa femme le quitte, il se sépare de sa maîtresse, perd dans un square son enfant, que recueille un ami écrivain, et a le soir rendez-vous dans le quartier de l'Opéra avec une inconnue.

L'important n'est pas dans ces faits, mais dans la matérialité de ce qui les accompagne : prendre le bus (bus et autocars sont présents désormais dans tous les récits de Peter Handke), traverser une rue, acheter des fleurs ou boutonner sa veste. La conscience est vide, elle ne se ressent elle-même qu'à partir de ce qu'elle voit ou entend, comme si elle n'était que l'intervalle qui la sépare des choses.

« Il n'allait pas se raconter d'histoires : pour lui, le temps des reprises, c'était fini ; pour sa nouvelle situation, il n'existait pas de produit dont il pourrait se servir contre paiement, au gré de son humeur ; il n'existait pas d'études de produit, pas de système qui arriverait à élaborer le produit dont il avait besoin. De quoi avait-il besoin ? Il avait l'esprit à quoi ? A rien, répondit-il, je n'ai l'esprit à RIEN. Et, pensant cela, il se sentit tout à coup dans son bon droit et voulut défendre ce droit contre qui que ce soit. »

Désormais, ce vide fait, tout peut être regardé, envisagé, puisque plus rien ne peut être subi ou accepté sans cette préalable reconnaissance du « rien » qui sera, dans *le Chinois de la douleur,* le vide en tant que forme initiale, inaugurale[38].

Cette réduction est l'opération mentale principale, car c'est sur elle que tout peut se fonder.

Elle seule importe après le rêve initial par lequel Gregor Keuschnig s'est trouvé en quelque sorte projeté hors de lui-même et « converti » à sa réalité.

« Qui a déjà rêvé être devenu un meurtrier et ne continuer sa vie habituelle que pour la forme ? »

C'est par cette question, en effet, que s'ouvre le livre, et c'est à la page suivante que Handke écrit de Gregor Keuschnig :

> « D'un seul coup, il ne fit plus partie de rien. Il tenta de changer comme un demandeur d'emploi qui veut "changer de situation" ; pourtant, pour ne pas être découvert, il lui fallait continuer à vivre exactement comme auparavant et surtout rester comme il était. »

Gregor Keuschnig arrive ainsi au stade premier et ultime de la conscience de soi : celui où elle se sent en soi, sans rien sentir en elle, où le besoin de tout contenu est aboli, où l'indifférence, l'hébétude et l'atonie sont un état originaire à partir duquel tout peut recommencer.

Ce n'est pas par hasard que, cinq ans plus tard – pendant qu'il prenait ces notes qui deviendront *l'Histoire du crayon* – Handke recopie la phrase célèbre de Jean-Jacques Rousseau :

> « Tout est fini pour moi sur la terre. On ne peut plus rien m'y faire [...] tranquille au fond de l'abîme [...] mais impassible comme Dieu même. »

La « sensation vraie » n'est rien d'autre que ce « sentiment d'exister », peut-être cette « paralysie d'âme », dont parlait en son temps Karl Philipp Moritz[39].

Keuschnig, au lieu de prendre le métro et de changer à La Motte-Picquet-Grenelle, comme tous les jours, décide cette fois d'aller à pied jusqu'à la rue Fabert par le pont Mirabeau :

> « Il voulait traverser la Seine par le pont Mirabeau et ensuite longer les quais jusqu'aux Invalides. Peut-être trouverait-il quelque part un système pour ce " ni l'un ni l'autre " dans sa tête. »

Il éprouve une sensation à la fois pâteuse et claire où les sentiments appris s'annulent. Rien n'est plus définitif, ferme, tranché une fois pour toutes. Keuschnig travaille sur un rapport sur « L'Autriche et la télévision française », et :

> « Tout à coup, Keuschnig ne sut plus ce qu'il avait voulu démontrer et il en fut tout heureux. »

Ce qui importe, ce n'est plus la cohérence des idées, c'est la netteté des sensations : le *pendant que,* ce qui a lieu en même temps que se déroule ce qui est censé être important, sinon essentiel. En d'autres termes, *l'Heure de la sensation vraie* est le récit du récit sous le récit. On pourrait très bien bâtir par-dessus une histoire toute différente ; cette autre histoire serait pourtant faite de la trame de ces petits faits qui, mis bout à bout, font la substance du monde.

Quelques années plus tard, dans *l'Histoire du crayon,* un recueil de notations écrites pendant la rédaction d'*Histoire d'enfant* et de *Par les villages,* Handke définit très exactement ce *pendant que* dont est fait *l'Heure de la sensation vraie* :

> « Jamais il ne se voyait agissant seul, les objets autour comptaient toujours. Avec lui qui parlait surgissait une cheminée, se trouvait un pot de fleurs sur un balcon au loin, il faisait froid, dans un buisson secoué par le vent, un enfant dans la rue prenait un bonbon dans le cornet d'un autre. »

Regarder autrement, laisser les yeux aller vers les objets sans se demander à quoi ils servent, libérer le regard, réapprendre le monde à partir de ce point zéro de la paralysie d'âme, c'est ce que tente Gregor Keuschnig, par exemple lorsqu'il regarde le ciel au-dessus des rues de Paris :

> « [...] des nuages que la proximité faisait paraître un peu plus sombres passaient, très vite, à ras des toits, et dont les formes changeaient avant même qu'il ait pu les percevoir. Pourquoi le ciel devient-il tout à coup remarquable pour moi ? Il ne le remarquait pas en réalité, il le voyait seulement, concerné, sans arrière-pensées. »

Une scène du film de Didier Goldschmidt,
Ville étrangère,
d'après l'Heure de la sensation vraie,
avec Niels Arestrup.

Le regard devient ralentissement, comme dans *Poème à la durée*. La marche à pied, déjà présente dès *l'Angoisse du gardien de but,* ou dans *la Courte Lettre,* va désormais être une façon de centrer la conscience vide, de la situer au sein d'un espace dont elle occupe le centre, mais dont elle déplace peu à peu les bords. C'est parce que les paysages défilent lentement que la conscience (la perception) pourra donner forme à ce qu'elle voit. Le personnage de Handke trouve en un sens « un mur mitoyen entre son propre esprit qui fonctionne beaucoup à l'opaque et l'autre, celui qui pose toujours des questions stupides et passe son temps devant le baromètre et le commissariat ».

Délivré tant du baromètre que du commissariat, le spectateur peut enfin regarder ce qui est vraiment de chaque côté du mur mitoyen. Keuschnig pourra vivre l'heure de la sensation vraie au carré Marigny, où il s'assied sur un banc, après avoir assisté, à l'Élysée, à la conférence de presse du président de la République. A cet endroit, peut-être, comme il le dit lui-même, « le hasard lui indiquerait enfin une possibilité de réfléchir sur lui-même ». C'est le soir, la pluie vient de s'arrêter et les flaques dans le sable étincellent au soleil. Les pigeons se sont envolés dans les arbres. A ses pieds, le sol proche ; devant lui, le feuillage sombre des allées de marronniers, puis la flèche du grand Palais et plus loin la tour Eiffel. L'espace est tracé où le spectateur peut au soleil déclinant, puis bientôt au crépuscule regarder se contracter les objets jusqu'au malaise, où il peut, sans que rien ne se passe, voir le monde littéralement se décomposer sous ses yeux, devenir une matière autre :

« Un univers infernal s'installait comme toujours. Keuschnig crut que cette journée ne s'arrêterait jamais. Les arbres à la rumeur constante dans la lumière vide, immobile, lui faisaient mal à la tête. Les objets semblaient à ce point immuables que leur seule vue était une commotion cérébrale. Il se ramassa sur lui-même, s'écartant d'eux comme pour se protéger d'un châtiment corporel. »

Autour de Keuschnig, les objets – les balançoires d'enfants – sont avec une précision extrême ce qu'ils sont. La femme qui traverse le carré avec son sac à provisions ne fait qu'accentuer son malaise parce qu'il imagine sa vie arrangée, disposée d'avance selon le par cœur quotidien. Il imagine tout ce qui, *pendant que* la femme traverse le carré, est en train de se passer dans les divers quartiers de Paris, dans le QUARTIER TOURISTIQUE à Saint-Germain-des-Prés, ou le QUARTIER OUVRIER de Ménilmontant, les pizzas qu'on tourne d'un côté et les bières qu'on boit de l'autre, *pendant que* les tuyaux de raccordement oscillent entre les wagons du métro.

Or, comme si ce malaise, ce sentiment d'oppression avaient aboli le mur mitoyen, le regard se libère soudain et le personnage (il ne tardera pas – dans *le Chinois de la douleur*, par exemple – à devenir le contemplateur) vit un événement déterminant dont il est à la fois le protagoniste et l'acteur, le témoin et l'auteur :

« Puis il lui arriva quelque chose – et pendant qu'il le remarquait, il souhaita ne plus jamais l'oublier. A ses pieds, dans le sable, il aperçut trois objets : une feuille de marronnier, un morceau de miroir de poche et une barrette d'enfant. Pendant tout ce temps-là, déjà, ils s'étaient trouvés là, devant ses yeux, et pourtant tout à coup ces objets se resserrèrent devant ses yeux en objets merveilleux. "Qui dit que le monde est déjà découvert ?" »

Ces trois objets insignifiants lui donnent à la fois l'indépendance et l'harmonie : le malaise devient dès lors une sensation précise et claire autour de laquelle le monde va se disposer de façon nouvelle.

La perception, désormais débarrassée de sa finalité, exalte ce sentiment triomphal d'exister qui accompagne maintenant Gregor Keuschnig à travers Paris – il suit les pas de Peter Handke lui-même, dont le « vécu » autobiographique fait, bien entendu, la matière de ce livre. Par ce sentiment d'exister se trouvent désormais infléchis tous les schèmes perceptifs acquis. Une fois de plus, Handke rencontre là Bergson, lorsqu'il dit que, pour lui, il est impossible de voir des images, des constellations dans les étoiles ; lui ne voit que les étoiles. Les constellations, on ne les voit pas, on les construit.

Au cours du dîner chez lui avec Stéfanie, son ami l'écrivain et sa compagne Françoise, Keuschnig peut s'immortaliser, comme il le dit, par le ridicule, se mettre nu au milieu de tout le monde et faire de la honte une sorte de jeunesse de la conscience de soi.

C'est le lendemain que, montant à travers Montmartre, Keuschnig perd son enfant dans un square. Il est alors saisi d'un effroi, d'une espèce d'état de folie calme, presque objectif, dont le saisissement n'est pas sans rappeler la découverte des trois objets dans le sable, mais cette fois dans la réalité palpable de la peur :

« Un souffle agita les arbres et maintenant, au cœur de l'été, il fut pris de l'effroi soudain d'un hiver sombre, rigoureux. »

Tout autour de lui, les objets se redisposent dans cet ordre de l'effroi et tout devient encore plus *distinct* qu'auparavant, il décide de « ne plus continuer à vivre », l'effroi le déporte à côté de lui-même.

Une sorte de marche forcée le conduit vers l'est de Paris, à Ménilmontant, à travers les Buttes-Chaumont où il aperçoit le gros écrivain qui lui dit l'avoir suivi, pas à pas, toute la journée et avoir ramené son enfant chez lui.

D'un coup, délivré des angoisses et des contraintes, Keuschnig peut donc redescendre en ville à ce rendez-vous avec une inconnue qui a écrit son numéro de téléphone à la craie sur un trottoir. Dès lors, tout le livre se met à se déployer rétrospectivement et la « sensation » devient la matière du monde :

« Placée au confluent de la conscience et de la matière, la sensation condense, dans la durée qui nous est propre et qui caractérise notre conscience, des périodes immenses de ce qu'on pourrait appeler, par extension, la durée des choses[40] », écrit encore Bergson. La « sensation vraie » est découverte du monde, elle est cette durée pure à l'intérieur de laquelle se fera l'expérience de la coïncidence successive des lieux et de la mémoire, que décrit *Poème à la durée*.

L'heure de la sensation vraie établit l'assise de la matière de toute découverte future : un savoir vide est maintenant en place qui va aller s'élargissant. L'enfant en sera le maillon de transition vers le monde alentour.

La ville, l'enfant et le regard

La Femme gauchère a été écrite à Paris pendant l'hiver et le printemps de 1976, époque pendant laquelle Peter Handke rédigeait aussi l'ensemble de notes qui vont constituer *le Poids du monde*. Celui-ci, en effet, couvre la période qui va de novembre 1975 à mars 1977, pendant laquelle il s'est occupé seul de sa fille de quatre ans. Pour écrire, il ne lui restait que des portions de temps fragmentaires, propices à des textes courts et à des notes prises sur de petits carnets qu'il portait toujours sur lui.

Les deux livres explorent un mode de vie désormais acquis, mis en place dans *l'Heure de la sensation vraie* et à partir de laquelle se fait une expérience du monde comme matériau de la conscience vide.

Dans *l'Heure de la sensation vraie*, Françoise dit à son mari Gregor qu'elle s'en va, et le laisse seul avec son enfant. Dans *la Femme gauchère*, c'est elle qui dit à son mari Bruno de s'en aller :

« La femme : j'ai eu tout à coup l'illumination – ce mot aussi la fit rire – que tu t'en allais d'auprès de moi, que tu me laissais seule. Oui, c'est ça, Bruno, va-t'en. Laisse-moi seule. »

La femme – elle n'a pas de nom, car le « soi » n'est pas recouvert par le nom – vit seule avec son enfant, un petit garçon simplement appelé l'enfant. L'objet du livre n'est pas l'identité sociale, la reconnaissabilité des personnes, mais la continuité muette de leur durée intérieure, ici la solitude.

Dans un entretien accordé à l'hebdomadaire allemand *Der Spiegel*[41], Peter Handke s'explique sur la solitude qui, par le « sentiment d'irréalité » qu'elle crée, équivaut à un état où on perd sa présence d'esprit, état d'atonie à l'intérieur duquel on est enfermé. En même temps, c'est elle aussi – dans la mesure où la solitude avec un enfant contraint à une vie limitée, réglée par les besoins imprévisibles de l'enfant, dont les réveils et les couchers découpent les journées – qui permet de vivre ou de revivre. La solitude est désormais un destin qu'il convient d'assumer et non un choix délibéré et artificiel qui ne correspond peut-être à aucun besoin véritable.

Ce qui est, en effet, au centre de l'écriture de Peter Handke, c'est l'état de fait, l'état des choses, comme dirait Wim Wenders, et non la décision, la volonté ou le délibéré. Handke ne *tranche* pas dans la réalité, il ne tente pas de la régir ni de l'organiser. La femme gauchère, ainsi, ne fait rien sous la conduite d'une opinion ou d'une idée préalables, elle n'a pas, à la différence de son amie Franziska, de vision prééta-blie du monde pour conduire son action.

Franziska fait partie d'un « groupe » ; elle dit à la femme : « Tu verras, nous sommes une communauté où chacune de nous s'épanouit. » C'est avec Franziska que va désormais vivre Bruno. La femme, elle, conti-nuera à vivre avec son fils, au sein de cette solitude dont Handke parle dans l'interview du *Spiegel* :

> « Oui, écrit-il, il existe dès l'abord une sorte de disharmonie entre le moi et le monde de la communauté, une déchirure ontologique entre certaines figures et l'histoire. »

Or cette déchirure révèle l'inanité de tout décret, de toute règle disposant d'avance des êtres humains ; c'est la raison pour laquelle la femme n'intervient pas dans les événements à moins d'être menée par une sorte d'illumination soudaine, presque concomi-tante à l'action, comme lors de la séparation d'avec Bruno. Celui-ci le dit, d'ailleurs, lorsqu'il revient chercher ses affaires, dans l'espoir peut-être que la femme le retienne : « Étrange, n'est-ce pas ? ce qui nous est arrivé. »

La Femme gauchère,
*réalisé par Peter Handke d'après son livre.
(Édith Clever dans le rôle-titre.)*

La séparation est arrivée, elle n'a pas été décidée, les personnages sont comme submergés par ce qu'ils éprouvent. Cela déborde, simplement, tout à coup. Tout le récit est ainsi fait de ces moments soudains et imprévus qui obéissent à une logique souterraine, toujours négligée, dans la nécessité de se conformer aux impératifs de la vie quotidienne. Après le départ de Bruno :

> « La femme referma la porte derrière lui et resta immobile. Elle entendit le bruit de la voiture qui partait ; elle alla au vestibule, à côté de la porte, et se mit la tête entre les vêtements qui pendaient là. »

Mais ce n'est pas seulement le désarroi qu'expriment les gestes ratés des êtres humains, par eux passe aussi leur existence poétique, leur humour, comme lorsque le père de la femme, appelé par télégramme par Franziska, met sa main dans le pot de moutarde en voulant lui dire bonjour (p. 73).

Rien, dans *la Femme gauchère,* ne fonctionne ou ne marche ; jamais rien ne se déroule selon les nécessités et l'ordre préétabli de l'action attendue. Ce qui relie les êtres humains les uns aux autres, ce sont ces petites défaillances qui surviennent ainsi entre les personnages, presque fortuitement. Seul le hasard les fait se rencontrer et chacun est comme surpris par ses propres gestes. Mais ce qui les relie aussi ce sont des constatations comme celle-ci :

> « Un autobus éclairé passa dans la nuit. A l'intérieur, il n'y avait que quelques vieilles femmes ; il fit lentement, par le sens giratoire, le tour d'une grande place et disparut dans l'obscurité : les poignées vides oscillaient. »

Ce bus tournant par le sens giratoire se retrouvera plus tard dans *le Chinois de la douleur.* C'est un tracé de l'espace désormais fixé dans la mémoire de l'écrit.

La Femme gauchère a connu un retentissement immense, il s'en est vendu plusieurs centaines de milliers d'exemplaires. Ce succès ne repose sur aucun malentendu, comme on l'a dit quelquefois, puisque le livre justement rend sa liberté à chacun et que chacun peut le lire et le comprendre comme il l'entend.

En 1978, Peter Handke tournera lui-même le film *la Femme gauchère*, à Paris, à Clamart et à Meudon, avec Edith Clever, Bruno Ganz, Michael Lonsdale et Rüdiger Vogler. Peter Handke y porte sur la banlieue parisienne un regard singulièrement neuf et pourtant étrangement familier.

L'édition en langue allemande du *Poids du monde* est ornée en couverture d'une photographie d'une page de l'un de ces carnets à spirale qu'utilisait Peter Handke à cette époque. Elle représente, dessinées au crayon à bille rouge, ces poignées qui oscillent dans le passage de *la Femme gauchère* cité plus haut. Dans *le Poids du monde,* les événements importants, ce sont en effet les petits faits ; ce sont les objets et les lieux qui font naître le récit. En 1986, il écrira, dans *le Recommencement,* où revient encore une fois la figure de sa mère :

« Et que lui racontai-je ? ni incidents ni événements, mais les simples déroulements ou même simplement une vue, un bruit, une odeur. »

Faire de ces petits déroulements des événements, c'est ce que se proposait déjà *le Poids du monde.* Tout ce que Peter Handke note dans ce « journal » est toujours dans le « fil » d'une même aperception du monde, d'un même effort sur la langue, d'une même concentration par laquelle se fait l'appropriation de ce qui est perçu à ce qui est dit.

Le Poids du monde n'est pas un journal au sens habituel du terme : il ne s'agit ni d'introspection ni de considérations sur le cours du monde, mais de notations anonymes – encore que personnelles au plus haut point – accessibles à chacun. Anonymes, elles le sont parce que prises au point exact où l'intimité bascule en universalité. Handke retient et fixe ce qui a échappé à l'attention de chacun, mais que tout le monde a vu.

L'histoire biographique de l'auteur est reconstituée dans ce journal par les impressions ressenties à mi-chemin du corps et de l'âme :

« Le vent dans la grande ville, tout à coup comme s'il soufflait dans la futaie. »

Leur succession raconte la vie de l'auteur de novembre 1975 à 1977, sans qu'aucun repère ne soit précisé, sans qu'aucune circonstance particulière ne soit décrite. Supposer que ces notes se succèdent au hasard et qu'on peut les détacher les unes des autres serait méconnaître la durée même qui en constitue la matière. C'est pourquoi il est difficile d'en citer des extraits, car les passages brefs ou longs parfois d'une page (rarement) se succèdent de façon à faire parler le temps intermédiaire figuré par le « blanc » qui les sépare.

Au début, les notes ont été datées par mois, parfois par journées (mars 1976, par exemple), puis, de nouveau, de mois en mois, mais la sensation de durée est surtout donnée par ce qui peut s'être passé dans l'intervalle et qui n'est pas dit. Tantôt quelques notes recouvrent toute une journée : celle du 18 septembre 1976, par exemple :

« Je parvins à ne pas lui demander son nom.

» Une femme qui ne me rit pas au nez, mais sourit en elle-même à ma vue.

» Fatigue : une accumulation de déjà vu. »

Tantôt, c'est une ou deux pages, parfois plus, mais, toujours à la lecture, le lecteur se sent avancer, vivre dans la durée de l'auteur, comme s'il avait éprouvé et remarqué les mêmes choses.

« Le pigeon tacheté, debout, là, tout à coup, dans le sable comme le vestige d'un naufrage. »

Cet AUTRE TEMPS, dont *la Courte Lettre pour un long adieu* révèle l'intuition, est ici, dans *le Poids du monde,* non plus entr'aperçu, il n'est plus la partie encore inconsciente de la perception, mais il en établit désormais à la fois la nature et la forme, comme si on découvrait tout à coup qu'on ignore tout du chemin qu'on prend tous les jours :

« Au réveil, les cheveux sur ma tête comme une main étrangère. »

La puissance poétique par laquelle le monde apparaît :

« Une péniche passe chargée de tas de sable et sur l'un des tas de sable se tient immobile un chien de berger »,

fait du même coup s'élargir le regard ; chaque image fait naître un espace et une durée plus vastes :

« A la boulangerie, on ne donna pas au Nord-Africain de papier comme aux autres clients pour emporter le pain. »

Note si importante et si révélatrice qu'on la retrouve dans *la Femme gauchère,* écrite d'ailleurs presque en même temps :

« Au stand boulangerie, je viens de voir qu'on enveloppait le pain pour une ménagère d'ici, mais qu'au Yougoslave, derrière elle, on le lui a mis comme ça dans la main. »

Une fois de plus, l'élargissement de la conscience et l'exactitude de l'observation rejoignent et enrichissent la « conscience politique ».
Le Poids du monde ne prétend à rien et ne prétend rien, et c'est bien là toute sa force poétique, donc de changement du monde.

« La voix d'un enfant dans un bâtiment où n'habitent que des adultes. »

La précision, ici, ramasse le monde en une seule phrase. Comme l'écrit la critique allemande Caroline Neubaur, « dans *le Poids du monde,* Handke arrive – dans la tradition de Valéry, de Gide – à une étonnante conjonction entre intensité, insistance, poids de l'affirmation et caractère secondaire de la notation du procès-verbal en miniature[42] ».

111

Il s'établit, à la lecture du *Poids du monde,* une cohérence intérieure qui en fait un récit qui se déroule dans les rues de Paris, de Clamart ou de Meudon, qui, sans jamais être décrites, n'en apparaissent pas moins dans leur réalité aux yeux du lecteur.

Le Poids du monde ramène la figure de l'écrivain à la « normalité », il la « désacralise » non par l'anecdote, celle qui peut arriver à un écrivain comme à n'importe qui d'autre, mais par le contenu même de ce qui est dit ; il la rend anonyme : l'écriture n'est pas un don particulier, elle est une attitude à l'égard du monde, un effort pour en porter le poids et en redécouvrir la « poésie ». Le poétique est cela : « Un timbre sur un miroir de poche. »

L'Histoire du crayon sera, cinq ans plus tard, comme l'approfondissement et l'extension du *Poids du monde* ; la réflexion y étend concentriquement ce qui a été découvert dans *le Poids du monde,* le prolonge dans cette zone très précisément située entre le déroulement de la vie quotidienne et la création artistique.

5
Le champ du monde

L'histoire de la neige et du soleil

Le passage cité plus haut sur l'AUTRE TEMPS, dans *la Courte Lettre pour un long adieu,* se termine par les lignes suivantes :

> « Sensation pénétrante d'un AUTRE TEMPS où il devait aussi y avoir d'autres lieux [...] où les sentiments aussi étaient autre chose que maintenant, où l'on était soi-même dans l'état de la terre inanimée encore, lorsqu'une goutte d'eau tomba pour la première fois après des millénaires de pluie sans s'évaporer aussitôt. »

Ce temps géologique initial, mentionné ici pour la première fois, va, dans *Lent Retour,* apparaître au grand jour et remplacer le temps quotidien des successions de surface. *Le Poids du monde* était la lente condensation de ce temps.

Biographiquement, il se met en place au moment d'un changement de résidence. A l'automne de 1976, Peter Handke quitte l'appartement qu'il avait loué boulevard de Montmorency pour s'installer à Clamart, avec sa fille, dans une maison « avec une façade en meulière ».

> « La région, écrit Handke[43], avait la particularité de ne pas être du tout localisable : un paysage légèrement vallonné s'élevant de cinquante à cent mètres au-dessus de la cuvette de Paris, avec des points de vue tout à fait fous sur la ville dont toutes les images semblaient pourtant fixées une fois pour toutes ; une contrée changeant ainsi de nationalité. »

Cet espace n'est pas seulement une *surface* visible, il n'affleure pas seulement, mais il est fait de couches successives, de densités, d'entassements, d'une multitude de mouvements géologiques qui, tout au long du temps, ont fait l'étendue et les configurations des lieux que les hommes habitent. Peut-être la connaissance des êtres humains exige-t-elle aussi cette investigation verticale de l'espace qu'ils occupent. On n'appartient pas à un lieu, qu'on ne s'y trompe pas ; jamais il n'y a pensée du terroir chez Handke, jamais on n'y trouve la faiblesse de l'abandon au prétendu lieu natal – on le découvre. Peut-être n'est-il pas tout à fait possible de comprendre les autres sans explorer cet emplacement où ils vivent et qui vit avec eux.

L'expérience vécue de l'espace, comme fondatrice du sentiment de l'existence humaine, est progressivement élucidée et mise au jour par la succession de ces quatre livres : *Lent Retour, la Leçon de la Sainte-Victoire, Histoire d'enfant* et *Par les villages,* dont l'ensemble porte le titre *Lent Retour,* car Handke envisageait d'écrire l'histoire d'un homme qui revient dans son pays natal après un long séjour à l'étranger. Peter Handke s'est longuement interrogé sur le titre de cet ensemble ; c'est en avril 1979 qu'il semble l'avoir définitivement choisi, comme il le dit dans une lettre du 27 avril 1979 à l'auteur.

Lent Retour a été écrit après un voyage en Alaska, où Handke s'était rendu en 1978 pour faire l'expérience de son point de départ. C'est en Alaska qu'il a découvert les paysages originels, non pas les paysages inviolés ou authentiques, mais ceux qui sont eux-mêmes leur édification géologique, les assises sur lesquelles s'édifie toute construction humaine – la description de New York (p. 142-144 ou 150) est du même ordre que celle de l'Alaska. L'Alaska, où les perspectives à la fois se distendent et se raccourcissent, où le gigantesque et le minuscule prennent une même dimension, est un « paysage » fondateur à partir duquel tous les autres ont lieu.

La densité et la concentration de ce livre en rendent les citations très difficiles. Cela donne peut-être la mesure de l'effort sur la langue fait par

Le Yukon et les sapins au bord du fleuve,
que Peter Handke décrit dans Lent Retour.

Handke. Il crée à chaque mot une langue toute simple et claire, mais qui n'a jamais été employée avant lui, car elle devient elle-même l'objet qu'elle décrit. Dans *Espaces intermédiaires* (conversations avec Herbert Gamper), Handke s'explique avec précision sur le travail extraordinairement difficile que fut l'élaboration de ce livre dont il a parfois écrit une seule phrase en huit heures.

Après des mois et des mois de travail, il envoie, le 2 avril 1979, à l'auteur de cet ouvrage ces lignes dont la modestie même reflète le prodigieux effort d'écriture qu'a représenté ce livre :

« L'histoire m'occupe encore, j'aimerai pendant ces deux semaines revoir encore une fois les deux dernières parties. Il me semble avoir introduit dans la nouvelle rédaction du manuscrit de "fausses conclusions" et des harmonisations qui donnent au tout une familiarité inexacte. C'était par peur ; trop de narration s'y est glissée, un apaisement inutile, parfois comme de fausses portes. J'espère qu'il suffira de supprimer quelques petits paragraphes et "développements" pour arriver à cet état d'ouverture si nécessaire. »

C'est que la formidable matière face à laquelle s'est trouvé Handke, c'est le visible, tel que, d'épaule en épaule, il remplit de sa commotion, de sa secousse celui qui regarde, comme un sursaut en profondeur du corps, comme si l'espace du regard devenait désormais le volume intérieur par lequel le corps se sent exister.

Sorger, le personnage du livre, qui est géologue de profession, fait l'expérience des « formes des temps premiers » au bord du Yukon, ce fleuve de l'Alaska dont il perçoit physiquement le bassin, à la fois tout proche et indiciblement loin :

« Ce qui donnait aussi à la plaine fluviale l'apparence d'une eau immobile, c'était qu'elle s'étendait de tous côtés jusqu'à l'horizon ; les lignes d'horizon, elles, comme formées par les boucles des méandres, étaient tracées non par les masses d'eau emportées dans le sens est-ouest, mais par la terre ferme, par les bords du tournant du fleuve, surplombé à cet endroit par un fouillis de peupliers nains, et par les pointes des conifères très petits et très dispersés de la forêt originelle, que la distance faisait apparaître très dense » (p. 14).

Ces lignes ne sont pas une description, mais un établissement au sein du corps du lecteur de l'emplacement de ce qui est vu. Le lecteur peut *tracer* ce qu'il lit, tout comme Sorger dans le récit en dessine les contours. La matière même des phrases, à la fois souples et compactes, reproduit les courbes, les indurations, les oscillations du terrain, parfois leur tectonique. Parfois, leur balancement lent et dense est interrompu par une phrase brève, comme un obstacle dans le charroi de matière où, pourtant, les distances donnent sur quelque chose de très aérien dont naissent des espaces infinis. Retracer ce paysage, en déceler les lignes permet à Sorger de se « situer » :

« Sorger était tout animé à la pensée que cette nature sauvage était devenue son espace personnel au cours de ces mois d'observations et d'(approximative) expérience de ses formes et de leur naissance » (p. 15).

Quelques lignes plus bas, Handke écrit :

« Depuis quelques années, depuis qu'il vivait presque toujours seul, il avait besoin de sentir, à chaque instant où il se trouvait, d'avoir les distances présentes à l'esprit, d'être sûr des angles d'inclinaison, de deviner le matériau et la disposition du sol sur lequel il se trouvait, du moins jusqu'à une certaine profondeur. »

La topographie de la partie de l'Alaska où il se trouve est en apparence peu prononcée, les changements d'aspect se font peu à peu, rien n'est tranché, les lignes se recoupent au point que le grand fleuve qui coule là se confond avec les retombées du ciel (voir p. 88). C'est un espace où les parcours humains acquièrent une présence aussi marquée qu'elle est plus réduite :

> « Le bassin fluvial était vide, comme d'habitude en cette saison. Il paraissait pourtant, ce matin-là, comme rayonner des profondeurs de la terre, embrasé sur tous ses rivages par cette courte époque du tournant du siècle où, parcouru de navires à aubes, divisé en têtes de pont par les compagnies marchandes, traversé par les essaims des chercheurs d'or, il avait sa place dans l'histoire du monde. »

Du lieu, ici, naît une autre histoire, comme si la nouveauté des lieux rendait d'autres déroulements humains possibles, comme si de tels paysages permettaient de tout « recommencer », ou plutôt de ressusciter une histoire débarrassée de l'horreur, de l'abjection historique qui l'encombre. Vivre, à travers l'étendue de l'Alaska, l'histoire pour laquelle il n'y a jamais eu ni temps ni lieu, l'histoire de la mémoire, du « pendant que ».

Dans *l'Histoire du crayon,* Peter Handke écrit :

> « Le terrible problème en écrivant l'histoire de Sorger : comme elle doit parler d'accomplissement, d'acquisition de capacités, de pureté, il lui faut entrer en conflit avec l'histoire, surtout avec celle du IIIe Reich où ces choses-là ont été comme souillées pour toujours. »

Lent Retour tente le rétablissement d'une histoire annulée et d'une langue compromise jusqu'au fond de ses possibilités d'expression par le nazisme, et que rien ne débarrassera plus de l'ombre d'Auschwitz : c'est hors de cette histoire et hors de cette langue que Handke tente de reconstituer l'un et l'autre, et ce n'est peut-être possible qu'en faisant le chemin qui part d'un paysage évoquant l'origine des temps, les « temps premiers », et remonte ensuite circulairement jusqu'au lieu où va se dérouler *Par les villages.*

> « Avoir vu jusqu'au fond des choses lui rendit la parole et il put alors mieux se haïr lui-même, parce

qu'il avait été possédé par ces faux morts, comme s'il "était apparenté à eux". La haine le fit respirer plus profondément et sa respiration l'arracha à l'aspiration sépulcrale. "Je n'ai plus de père." Il ferma les yeux et derrière ses paupières il vit l'image claire du fleuve qui y était restée imprimée » (p. 89).

Ce « paysage » derrière les paupières se retrouvera dans la phrase extraordinaire qui ouvre *le Chinois de la douleur*. Ce qu'on voit, c'est le visible seul : les formes, mais il n'y a que la langue pour le dire :

> « La langue : elle instaurait la paix ; elle créait l'humour idéal ; elle réconciliait le spectateur avec des objets extérieurs » (p. 89).

La deuxième partie du livre se déroule sur la côte Ouest des États-Unis. Sorger a quitté son ami Lauffer, le menteur, géologue lui aussi, et l'Indienne familière et insaisissable, pour passer quelques jours dans sa maison, où

> « sur le siège d'une chaise étaient restées marquées les plissures faites par quelqu'un qui s'y était assis des mois auparavant » (p. 86).

Sorger, sur la côte Ouest, est devenu, une fois pour toutes, « explorateur des formes ». Libre une année durant, il veut désormais intégrer tous les paysages qu'il traverse à un paysage constitutif et originel qui n'existe pas, mais dont la grille vide se profile derrière tous, sorte de paysage mental ou de possibilité de paysage qui établira le passage vers autrui :

> « Parfois, embrassant le paysage du regard, il lui semblait être un explorateur de la paix. »

Tout l'effort de Sorger vise à établir un fondement géologique commun à tous les espaces habitables, donc le « lieu géométrique » commun à tous les êtres humains. Mais Sorger, et c'est pourquoi la deuxième partie du livre s'intitule « Interdiction d'espace »,

incarne « chacun de ses ancêtres », il est un descendant de ceux qui ont commis les génocides de son
siècle. Il est de ceux sur qui pèse à jamais l'ombre
des victimes (p. 88). Le passé récent, celui que rien
n'effacera est l'infranchissable barrière, ce que
Handke appelle l'« Irréconciliable », qui empêche
peut-être l'identification ultime aux paysages, mais
aussi aux visages humains.

C'est au prix d'un effort de concentration tout
particulier, dont *Lent Retour* est justement la
manifestation, qu'il est possible de recréer à la fois
la perception et son expression verbale. Le vide une
fois fait, le recommencement peut être tenté.

Sorger arrive sur la côte Ouest avec un regard que
l'Alaska a rendu à la fois plus précis et plus ample ;
entre l'immensité et l'exigu (comme déjà en Alaska),
il n'y a plus de différence radicale. Mais, dans un
premier temps, la ville de la côte Ouest, où il
retrouve pourtant le même sol fendillé que dans le
bassin fluvial du Grand Nord, lui apparaît fermée :

« Le mot côte Ouest, au lieu du vaste continent,
ne semblait plus concerner qu'un petit secteur se
détachant de tous les autres ; non pas le grand
lointain, mais, tout comme le mot "West-End", un
simple quartier de ville. »

Car le malaise peut être aussi malaise d'espace et
le regard peut très bien ne pas être emporté
« par-dessus terre ou mers vers d'autres êtres
humains semblables dans un monde plus vaste ».

Mais la ville et ses alentours sont toujours
cependant ouverts sur d'autres étendues ; d'un
endroit on en voit un autre. Ce sont ces passages,
ces « seuils » comme Peter Handke les appelle dans
le Chinois de la douleur, qui mèneront vers d'autres
lieux et d'autres êtres humains et rendront la
« sensation vraie » monumentale et universelle.

Le miracle de la Création est, en effet, dans les
transitions, dans le franchissement de ces points
où un lieu en devient un autre. Être debout en
un point et voir autour de soi les paysages
insensiblement ou brusquement devenir différents,
voir d'un même point une montagne et un océan

E. Hopper, Cape Cod Afternoon *(1936).*
(The Carnegie Museum of Art, Pittsburgh ;
Patrons Art Fund, 1938.)

est pour Sorger un étonnement ininterrompu. Toute sa force de vivre lui vient de ce qu'il est le point de convergence, le centre de tous ces accidents, de toutes ces consistances des terrains qu'il voit autour de lui.

Un tel lieu se trouve près du campus universitaire de cette ville des bords du Pacifique où se trouve la maison de Sorger ; c'est un « col » minuscule dans un parc vallonné :

> « La route [...] traversait la colline dans une cuvette à peine marquée, que le trajet quotidien avait transformée en "ensellement". Le campus n'était pas loin du Pacifique (Sorger s'y rendait souvent à pied), et, pourtant, venir à bout de cette petite selle du col devint, avec le temps, entrer et sortir par l'arc mystérieux d'un portail ouvert sur l'indéterminé [...] bien que lotie des habituelles maisons toutes pareilles sur les deux pentes, la région du col devenait pour Sorger un endroit important : c'est là que la "décision" interviendrait. »

Peu à peu, ce lieu établit aussi la transition vers les autres et la précision du regard devient dimension du monde. Le malaise s'inverse en sensation de latitude, de situation géographique. Ce lieu entre ville et parc (reconnaissable sur les peintures d'Edward Hopper ou de Patrick Wyeth), dans son indétermination même, établit la mesure de l'espace indiqué par les lumières lointaines de la ville et, tout près, par la bordure de la forêt de pins. Or, cet espace est sillonné par les bus des lignes urbaines. Lorsque l'un d'eux s'arrête, Sorger y voit un visage de femme :

> « Il fit signe de la main. Lorsque le bus redémarra, elle tourna la tête, l'aperçut et le contempla, abaissant le regard jusqu'aux chaussures, mais ne le reconnut pas. Il se leva d'un bond et frappa contre la vitre, mais, déjà, c'était un autre visage qui lui rendit, étonné, son regard ; et sous le ciel nocturne, alors que personne, pourtant, ne l'observait, il se mit à rougir violemment. »

D'avoir ainsi « reconnu » le paysage, Sorger est rempli de l'enthousiasme de l'« autre ». C'est lui qui, chez ses voisins, verse à boire et c'est lui qui couche les enfants qui lui confient des secrets dont même les parents ne savent rien :

> « Et lui qui avait perdu les grands espaces plongeait, avide d'apprendre, dans les espaces les plus restreints. »

Désormais, le monde est « ouvert » et c'est alors qu'il voit « le visage de la femme en face de lui comme il n'avait jamais encore vu personne ».

La découverte du visage d'autrui est peut-être l'étape principale de ce voyage inauguré par *Lent Retour,* et qui mènera, en effet, dans *Par les villages,* à la réconciliation des lieux et des êtres. En présence du visage de la voisine, Sorger est devenu « simple récepteur », comme lorsqu'en Alaska il avait « recueilli en lui les motifs polygonaux de la boue sur la rive du fleuve », récepteur, cette fois, de l'humanité, de l'être humain tel qu'il se manifeste par le visage :

> « L'expression que le visage introduit dans le monde ne défie pas la faiblesse de mes pouvoirs, mais mon pouvoir de pouvoir [...] : le visage me parle et par là m'invite à une relation sans commune mesure avec un pouvoir qui s'exerce, fût-il jouissance ou connaissance. »

Ces lignes d'Emmanuel Levinas[44] pourraient définir l'« Ouvert » de ces quatre livres de Peter Handke qui forment le *Lent Retour.*

Les étendues de l'Alaska ne prennent leur sens, ne se voient rétrospectivement, en somme, que par ces visages :

> « Sorger n'était plus le simple spectateur des événements d'un autre visage ; sa vie personnelle limitée se trouvait emportée, intégrée dans les traits du visage même de l'humanité et elle y continuait, irrévocable, dans l'Ouvert même de ce visage. »

La vision de l'autobus dans la nuit où une fraction de seconde durant il a vu passer un visage de femme devient « La loi » de la troisième partie de *Lent Retour*.

« Quelque chose de nouveau commence pour moi », dit Sorger en s'éloignant en avion de la côte Ouest : une vie nouvelle, mais qui n'est qu'un mûrissement progressif, aboutissement de tout ce qui a précédé.

« Et s'il n'existe pas pour moi de loi générale, je me donnerai peu à peu une loi personnelle à laquelle il me faudra me tenir. J'en trouverai aujourd'hui le premier article » (p. 141).

Cette dernière partie du livre est intitulée « La loi » ; la loi, c'est cet accord que Sorger ressent tout à coup entre lui et les « autres », puisque tous ont la même expérience de ce qui les entoure.

Le « vu » conduit désormais la parole qui suit un tracé tout autre que celui qui pourrait naître selon son propre fil : c'est l'AUTRE langue, au sein autre de la langue. « Si réalité et plénitude ne faisaient qu'un ? » se demande Bertrand Poirot-Delpech. La loi serait cela[45].

A New York, dans la ville des villes, Sorger découvre l'espace urbain comme il avait découvert l'Alaska. En la personne d'un voyageur, appelé Esch, il voit la solitude de l'autre et sa nécessité. Ils se donnent rendez-vous au restaurant, sans même se connaître. L'inconnu veut simplement raconter :

« [...] Sorger se sentit dans le profond espace nocturne, comme survolé par un frisson de la création, où, étonné de lui-même, il eût voulu être physiquement uni à cet homme : comme si cela fut la seule possibilité de le maintenir en vie. Un seul regard, auquel l'inconnu pouvait, pour ainsi dire, s'adosser suffisait. »

Le paysage et les visages sont désormais inséparables, le monde est devenu lent, « ô monde lent », mais non pas harmonieux. Rien n'y cesse ; le malaise, le mal-être y existent comme avant. L'harmonie n'est pas établie. Sorger reste autant le rebelle que tous les autres personnages qui incarnent la démarche de Peter Handke, mais au moins peut-il désormais affronter le *visible* et le confronter au visage humain. L'étendue géographique, les lieux ne prennent de dimension que par les visages, c'est ce qu'exprime le quatrain sur lequel se clôt le livre :

> Visage qui t'envoles
> Les pierres à mes pieds te rapprochent.
> M'absorbant en elles,
> Je nous leste d'elles[46].

L'histoire des noms...

« Revenu en Europe, il me fallut l'Écriture quotidienne et je lus beaucoup de choses d'un œil neuf. »

C'est sur ces lignes que s'ouvre *la Leçon de la Sainte-Victoire*. Dans *Lent Retour,* en effet, les noms de lieux, écrit Peter Handke,

« provenaient ou bien de la courte histoire des chercheurs d'or de la région [...] ou bien ce n'étaient que de simples chiffres : lac des Six-Mille [...] ».

C'est leur appropriation aux lieux qu'ils désignent qui est continuée, vécue ici dans ce court livre où les noms rejoignent les choses dans la même coïncidence entre peinture et réalité. Dans *la Leçon de la Sainte-Victoire* est racontée, on aimerait écrire éprouvée, la concordance entre les choses et leurs noms. C'est pourquoi Peter Handke appelle ce deuxième volet de cette suite « L'histoire des noms ». Les formes de *Lent Retour* étaient si fortes et si cohérentes, parce qu'elles donnaient naissance à quelque chose qu'elles n'étaient pas encore, comme si la matière d'un livre était le naissain de celui qui allait suivre : la forme anticipe sur un contenu futur. C'est d'ailleurs ce que Peter Handke écrit dans une lettre du 14 octobre 1979 à propos de son travail sur *la Leçon de la Sainte-Victoire* : « Je suis sur la trace d'une autre *matérialité* des phrases[47]. »

Quelques mois plus tard, le 25 mars 1980, il écrivait dans une autre lettre :

« J'écris brièvement parce que je suis dans un travail qui doit s'appeler *la Leçon de la Sainte-Victoire*, un récit (en même temps un peu un essai et légèrement un manifeste). Je suis souvent agité et m'efforce à cette "sobriété junonienne" que Goethe appréciait chez Homère. Mais, pour l'instant, je suis seulement las et j'évite ma table ; j'écris à la cuisine qui a un large rebord de fenêtre. Aujourd'hui, j'ai écrit sur un chien dans lequel j'ai reconnu mon ennemi. J'ai ici un chemin que je suis toujours, après le travail, vers une étrange forêt où j'ai envie d'aller avec toi. »

Cette lettre révèle la tension de l'écriture, à quel point elle est un engagement de la personne entière de l'écrivain.

« C'est au cours d'une exposition au printemps de 1978 que les tableaux de Cézanne m'apparurent comme ces objets du commencement et je fus pris de l'envie d'étudier. »

C'est la peinture de Cézanne intitulée *l'Homme aux bras croisés*, à l'exposition de 1978 au Grand Palais, qui va donner naissance – et c'est bien là son contenu en tant que peinture – à tout un univers formel dont le matériau est, concentriquement, issu de ce tableau :

« Un portrait me frappa tout particulièrement, car il représentait le héros de mon histoire, laquelle restait encore à écrire [...] vu dans l'angle d'une pièce plutôt vide, définie par les seules lattes du plancher, il est assis dans l'obscurité des couleurs terrestres qui le modulent lui aussi [...]. »

L'Homme aux bras croisés, dès lors, ne quitte plus le regard intérieur du narrateur ; celui-ci essaiera même d'imiter son attitude et de se croiser les bras comme lui. Plusieurs fois de suite, Handke est retourné regarder ce tableau sans s'attarder devant

Cézanne, l'Homme aux bras croisés *(1889).*
(Coll. Carlston Mitchell.)

les peintures représentant la montagne Sainte-Victoire (p. 34). Or c'est elle pourtant qui désormais ne quittera plus sa mémoire, mais comme vue à travers *l'Homme aux bras croisés*.

Le Sorger de *Lent Retour* préfigurait le héros de cette histoire qui donc restait à écrire (il y apparaît d'ailleurs explicitement p. 105). Revenu d'Amérique en juillet 1979, Handke, avant de retourner s'installer en Autriche, à Salzbourg, sur le Mönchsberg, pour de longues années, se rend à Aix-en-Provence pour y faire physiquement l'expérience du paysage de Cézanne. La marche sur la route Paul-Cézanne, au départ d'Aix, que décrit la première partie du livre, est autobiographique – Peter Handke raconte un court épisode de sa vie et en évoque d'autres – mais elle est, d'autre part, une entrée, une sorte de portail qui s'ouvre sur la durée humaine, prise au sein de son déroulement dans l'espace et à laquelle le *Poème à la durée* donnera un nouveau développement.

Plus l'œuvre de Handke se déploie à partir du point de concentration qui l'a fait naître, plus la réalité concrète des personnages devient forte et puissante.

Dans *la Leçon de la Sainte-Victoire,* c'est le passage de l'intensité à l'ampleur. Parti le matin d'Aix-en-Provence, le narrateur suit vers l'est le tracé de la route Paul-Cézanne :

> « Oui, c'est au peintre Paul Cézanne que je dois de m'être trouvé entouré de couleurs en ce lieu dégagé entre Aix-en-Provence et Le Tholonet, et que la route asphaltée me soit apparue comme une substance colorée. »

Faire corporellement l'expérience des lieux figurés par le peintre, c'est-à-dire éprouver sur place comment l'œuvre d'art prend forme dans l'étendue et crée l'étendue, tenter en somme d'aboutir à l'indistinction de la vérité, à la fois réalité visible et création, tel était le but du narrateur.

Tout commence par les couleurs, et ce n'est pas pour raconter une anecdote que Handke décrit au début du livre cette forme particulière de daltonisme dont il est atteint – il ne perçoit pas certaines gradations de couleurs – mais c'est parce que les couleurs sont la nature même de la forme :

« Le matin à Aix, il avait littéralement fait sombre. Sous les platanes du cours Mirabeau qui forment une toiture. La porte au bout de la longue allée avec les panaches blancs des jets d'eau étincelait à l'arrière-plan comme un petit miroir. Ce n'est qu'aux limites de la ville que la lumière devint un jour d'un gris tendre. »

C'est sur cette conjugaison entre lumière, couleur et forme que s'édifie l'œuvre de Cézanne et que s'établit la personne du « contemplateur » de ses peintures : « C'est seulement dehors, auprès des couleurs du jour que je suis », dit-il.

L'œuvre d'art est celle qui fait naître d'autres espaces, celle qui ne limite pas et ne conclut pas. C'est la raison pour laquelle Handke raconte son exploration des abords, puis l'ascension de la montagne Sainte-Victoire. C'est ainsi que s'établit l'« esprit du commencement. »

Vivre le lieu, faire l'ascension de la Sainte-Victoire, c'est ramasser, resserrer l'expérience géologique de *Lent Retour,* mais c'est aussi étendre cette expérience géologique autour de soi. Les lieux ouvrent sur d'autres lieux :

« J'en avais déjà souvent fait l'expérience, un endroit tout à fait inconnu, même si on n'y avait pas vécu de moment caractéristique ou heureux, prodigue, après coup, calme et ampleur. J'ouvre ici un robinet et déjà s'étend devant moi un large boulevard gris à la porte de Clignancourt, à Paris. »

L'écriture, dès lors, reconstitue l'effort du peintre et le « sens » de cet effort, et naît selon le même déploiement intérieur :

« La montagne donne l'impression d'avoir coulé d'en haut, de l'atmosphère presque de la même couleur et de s'être épaissie en un petit massif de l'espace universel. »

La matière dont le livre est fait est celle même de la peinture (de Cézanne) ; l'une fait surgir l'autre : le tableau prolonge la réalité du paysage et celle-ci continue le tableau.

« Il était midi lorsque je montai les lacets : le ciel était bleu profond. Les parois rocheuses formaient une voie continue d'un blanc éclatant jusqu'au fond de l'horizon. Dans le sable rouge d'un lit de ruisseau desséché, les empreintes de pieds d'enfants. Aucun bruit, rien que les cigales crissant vers la montagne. »

Mais, au milieu de ce paysage, une fois encore, la menace ; près de Puyloubier, une caserne de la Légion, dont un terrain est gardé par un chien – une sorte de dogue –, l'Ennemi absolu, la haine faite animal, dont la soif de sang :

« avait été dressée contre quiconque sans arme et sans uniforme *n'était que celui qu'il était* ».

Ce chien est le prolongement de l'univers concentrationnaire nazi : il se trouve là sur le chemin du retour et c'est, tout à coup, la réalité politique, la zone officielle du pouvoir marquée sur le béton par de petits tas de crotte desséchés. Le chien, le pouvoir donc, la violence menacent d'obscurcir le paysage alentour. Sans que ce soit dit, même d'un mot, les camps de déportation, simplement l'enfermement, surgissent dans l'esprit :

« Oubliée, la gratitude envers le chemin accompli ; la beauté de la montagne nulle et non avenue. Seul le mal était encore réel. »

Le rêve, au cours d'un bref instant d'endormissement dans l'herbe, réussit à annihiler l'animal. L'ascension de la Sainte-Victoire se fera plus tard.

La Leçon de la Sainte-Victoire, c'est l'« enthousiasme » de la vue. Par la peinture de Cézanne, il y a exaltation et effacement de soi en même temps.

« De jour en jour, j'étais devenu plus invisible au sein du domaine du grand peintre – pour moi, comme pour les autres. »

Devenir invisible, c'est devenir anonyme, ne se distinguer en rien d'autrui, mais c'est aussi, en retour, donner toute sa valeur à autrui. Il n'y a pas « fusion » du soi à ce qui l'entoure, mais justification par le vide de la conscience que les objets de Cézanne viennent remplir :

« Je n'avais pas l'impression d'avoir disparu dans le paysage, de m'être fondu en lui, mais d'être bien à l'abri dans ses objets (les objets de Cézanne). »

Dans *l'Histoire du crayon,* recueil de notes prises entre 1976 et 1980, c'est-à-dire pendant qu'il écrivait les quatre livres de *Lent Retour,* Peter Handke parle à plusieurs reprises de Cézanne :

« Cézanne crée presque toujours les noces – le mariage – de toutes choses : l'arbre devient pluie, l'air devient pierre, un objet tend vers l'autre, le sourire dans le paysage terrestre. »

La peinture et le paysage passent de l'un à l'autre, l'un est le seuil de l'autre[48].
C'est d'ailleurs dans *la Leçon de la Sainte-Victoire* qu'apparaît la notion de seuil qui jouera un si grand rôle dans *le Chinois de la douleur.*

« La sensation de seuil est quelque chose de calme qui mène au-delà, sans intention. »

Les seuils établissent cette continuité qui situe toutes choses dans un espace ininterrompu. Ainsi les trois portraits de Cézanne sur « le mur d'un musée en Suisse » semblent-ils regarder

« comme par les trois fenêtres d'un train à l'arrêt et qui roule à travers le temps ».

Déjà les tableaux de batailles aux couleurs jaunes avaient, dans *la Courte Lettre pour un long adieu,* mis le narrateur face aux événements de l'Amérique en train de se faire, et, dans *l'Heure de la sensation vraie,* la présence de l'Événement est constante comme un hâle. Dans *la Leçon de la Sainte-Victoire,* on voit s'élargir, s'amplifier ces prémisses et l'espace géographique véritablement apparaître comme le lieu de l'aventure humaine :

> « Les cercles autour de la Sainte-Victoire devinrent de plus en plus vastes involontairement, cela se fit tout seul. »

Ce n'est pas par hasard que Peter Handke évoque sur un pont au-dessus du boulevard périphérique, donc quelque part entre la Sainte-Victoire et le mont Valérien, son insertion au sein d'un peuple minoritaire, les Slovènes, persécuté et dispersé – son grand-père avait voté en 1920 pour le rattachement du territoire de l'Autriche du Sud à la Yougoslavie et avait pour cela été menacé de mort par les germanophones – et ce n'est pas par hasard qu'il en évoque le « bout du sillon ».

Le lieu est événement, car il est lieu des hommes ; les lieux sont comme des visages, et *la Leçon de la Sainte-Victoire,* c'est celle de la découverte de ce visage.

Autant la République fédérale lui apparaissait à tout jamais frappée au cœur par le IIIe Reich et le meurtre collectif, irrémédiablement lié à l'Allemagne, autant, à son retour à Berlin, elle lui paraît « toujours plus méchante et plus pétrifiée », autant il avait « même horreur des formes allemandes de la terre », autant ce sera justement à Berlin qu'il découvrira ce visage « géographique » appris auprès de la montagne Sainte-Victoire.

A Berlin, il découvre le lieu invisible par lequel tout paysage prend son sens, ce dénivellement infime presque imperceptible autour duquel se dispose toute la contrée telle que le regard l'embrasse (p. 80-82).

C'est pour redécouvrir ce « point invisible » de la Sainte-Victoire qu'il retournera en faire l'ascension. Et, cette fois, les platanes du cours Mirabeau étaient devenus « une rangée d'ossements blêmes ».

Cézanne, la Montagne Sainte-Victoire,
vue de la carrière Bibemus.
(Baltimore Museum of Art.)

Il revient à Aix avec une amie, D., qui est couturière :

> « Ses tableaux à elle, ce sont les robes, et chacune d'elles en est une idée particulière. »

Toute la montagne est ordonnée, disposée autour d'un seul et même point, ce « lieu géométrique » que Cézanne a toujours peint sans jamais le faire voir. Tout le paysage est « organisé » sur ce point auquel tout ramène :

> « Ce point absolument invisible à l'œil nu ne cesse pourtant de revenir sur les tableaux du peintre en tant qu'ombre portée plus ou moins grande. »

Marianne Bourges, la conservatrice de l'atelier de Cézanne, chemin des Lauves, appelle ce point invisible une « ove ». Peut-être est-ce ce point invisible qui rend la montagne figurable et la relie au reste de l'horizon, et l'horizon à l'ensemble du monde. C'est par lui que les pentes de la Sainte-Victoire se « situent ».

> « Tout cet espace dénudé avec ses écoulements en tous sens qui ne menaient nulle part correspondait exactement, en petit, à ces vastes friches du Dakota du Sud où se passaient beaucoup de westerns et qui ont jadis été baptisées *badlands* par les vagabonds de là-bas. »

C'est par ces correspondances, par ces *seuils* que s'établissent les paysages, l'un rappelant les « traits » de l'autre ; ce sont elles qui font communiquer les êtres humains et les objets. C'est pourquoi Handke peut écrire que dans l'atelier de Cézanne, chemin des Lauves,

> « à côté des fruits recroquevillés sur le rebord de la fenêtre, la longue redingote noire de mon grand-père était soigneusement suspendue à un cintre »

et c'est pourquoi, dans ce même café du cours Mirabeau, il peut aussi rencontrer les joueurs de cartes de Cézanne (p. 56). La peinture donne désormais sa forme à la réalité du paysage.

C'est la raison pour laquelle les lieux peuvent aussi désormais être nommés par leur désignation géographique, même ceux de l'Autriche natale, comme ce sera le cas dans *le Chinois de la douleur*.

Le dernier chapitre du livre est appelé « La grande forêt » ; c'est le titre d'une peinture de Jacob van Ruysdael, au musée des Beaux-Arts de Vienne ; cette forêt assez claire et petite semble prolonger celle de Morzg, près de Salzbourg. Très souvent, Handke y est allé, lors des années passées à Salzbourg, et chaque fois ce chemin (toujours parcouru à pied) est devenu une aventure, une découverte et un affrontement que décrit *le Chinois de la douleur*. Elle est située à une heure de marche de la ville, et c'est ce trajet que décrit la dernière partie du livre. On y voit les lieux, successivement, déboucher les uns sur les autres (les seuils) et la forêt s'épaissir progressivement ; d'abord marquée de signes avant-coureurs, tels que

« les buissons de coudrier et leurs chatons jaunes qui répondent au moindre vent, mais qui retombent parallèles comme la pluie schématisée sur les dessins ».

La description se fait de plus en plus précise et détaillée. Handke établit ici le modèle même de guide du voyageur, dont le projet lui était venu à Cape Cod (Massachusetts) comme celui d'un livre idéal. *La Leçon de la Sainte-Victoire* est la mise en place de ce « guide du voyageur », dont la description de la forêt de Morzg établit presque la cartographie. Dans ces dernières pages, il parvient à un point extrême de l'écriture : on pourrait dresser une carte précise de la partie de la forêt décrite par Handke. On pourrait même la dessiner ou la peindre. Il n'y a plus d'intervalle entre les mots et les choses qui s'implantent dans l'espace de la mémoire à la limite la plus avancée de l'expression des choses par les mots.

« Le chemin creux où en toute saison tombent les feuilles d'automne se termine devant un tas de bois. Par-derrière commence un taillis d'un noir béant : c'est le seul endroit où il y ait comme une cavité dans la petite forêt. Ce bunker sombre donne envie d'y pénétrer ; pourtant, même un enfant ne pourrait pas se faufiler à travers les troncs serrés comme des herses. »

Partout autour de la forêt, la présence de l'homme, la ville n'est pas loin. Au sortir des bois, la plaine d'Anif, tranchée droit par la pente de l'Untersberg qui se dresse sans transition, presque à angle droit au départ de la plaine. De toutes parts, la forêt fait sentir la vie qui l'entoure. La forêt ne « vaut » que parce qu'elle ouvre – comme dans le tableau de Ruysdael – sur le passage des êtres humains. Au sortir de la forêt, le livre s'achève sur ces mots :

« Retour auprès des hommes d'aujourd'hui ; retour aux places et aux ponts ; retour aux quais et aux passages ; retour aux terrains de sport et aux informations ; retour aux cloches et aux magasins ; retour à l'or resplendissant ; au jeté des plus. A la maison, le regard de deux yeux. »

« Peter Handke au sommet[49] ! »

... puis l'histoire d'un enfant...

« A la maison, le regard de deux yeux. » Une fois encore, la dernière phrase d'un livre est le « seuil » du suivant. Les yeux dont il est question ici sont ceux, en effet, de l'enfant dont *Histoire d'enfant* va raconter l'histoire. Comme tous les livres de Handke, celui-ci va aussi se fonder sur l'expérience et le vécu personnels. Seul Peter Handke, comme il l'a dit un jour, pourrait écrire sa biographie ; lui seul pourrait savoir quels détails, quels faits s'inscrivent à l'intérieur de ce reconnaissable, de cette durée qui le font être lui-même et donnent à son écriture toute sa portée. L'anecdotique n'a de sens, pour le comprendre, lui, que quand c'est lui qui le raconte, comme il le fait dans ses écrits. Mais la seule connaissance des faits et des circonstances risque de ne jamais conduire par elle-même à l'œuvre, qui seule importe puisqu'elle « concerne » chacun.

La cohésion, l'unité de tout petits faits « pris » parmi une immense somme de faits semblables donnent un récit reconnaissable entre tous, à la fois simple et exceptionnel.

Raconter la vie d'un père avec son très jeune enfant, c'est en passer nécessairement par l'aveu et l'exactitude, donc par le fait autobiographique, mais qui devient anonyme et universel. *Histoire d'enfant* raconte la vie de Peter Handke avec sa fille de 1970 à 1977. L'exceptionnel n'est pas ici que ce soit un père à qui est confié le soin exclusif de l'éducation de son enfant et de sa vie quotidienne, mais l'attention portée aux gestes.

Que Peter Handke ait élevé sa fille tout seul, qu'il ait repassé, lavé, cuisiné, fait les courses, qu'il soit allé l'accompagner, puis la chercher tous les jours à l'école et que ses amis aient été des baby-sitters d'occasion (et très contents de l'être) n'a de valeur qu'illustrative, et si on veut, pittoresque. Mais c'est lorsque ces petits faits deviennent, grâce à l'écriture, amples et neufs qu'ils prennent tout leur sens.

Tout au long d'*Histoire d'enfant* se déroulent ce que Peter Handke a un jour appelé, reprenant l'expression de Kafka (lettre à l'auteur du présent ouvrage, 30 janvier 1975), des histoires mondiales privées *(private Weltgeschichten)*[50] : ces faits de la vie particulière de chacun, mais de portée universelle. Seule la littérature est capable de transformer ainsi le particulier en aventure de tout le monde.

A l'origine de cette portée générale, la force de concentration de l'auteur qui lui permet de retrouver le lieu originel, le point invisible autour duquel se concentrent les souvenirs : la durée et l'espace se conjuguent en ce point formulé dès le début du livre :

« L'une des pensées d'avenir de l'adolescent, c'était de vivre plus tard avec un enfant. L'image d'une entente muette, de courts échanges de regards : on s'accroupissait, une chevelure, une raie irrégulière, on était près et loin en heureuse harmonie. La lumière de cette image, quand elle revenait, c'était l'obscurité peu avant la pluie sur une cour au sable grossier, bordée d'une bande de gazon, devant une maison à la présence toujours imprécise et qu'on sentait seulement derrière soi, sous le toit de feuillage serré de grands arbres bruissants. »

Ces lignes par lesquelles s'ouvre *Histoire d'enfant* contiennent à elles seules déjà d'innombrables histoires sous-jacentes qui vont être la matière même de l'histoire racontée : tous ces gestes très simples : soulever l'enfant, l'accompagner, marcher avec lui sont comme imprégnés de ces images qui les précèdent, comme si chaque geste venait au bout de la durée qui l'a fait naître.

Les petits faits racontés dans ce livre sont si nets, si précis qu'ils paraissent être comme les originaux de ces gestes, comme leurs modèles. Chacun d'eux fait surgir la lumière de son image, le lieu où il se déploie, comme si l'image intérieure de l'adolescent allait transmettre son éclairage à toutes les autres :

« Quand on remonte l'habituel boulevard, très fréquenté en sens inverse, on voit d'anciens espaces sombres et uniformes, où la terre apparaît avec des couleurs multiples et où le ciel se confond avec le pavé, comme nulle part ailleurs en ville. Et c'est ainsi que, avec les mouvements de levier qui font monter et descendre la voiture d'enfant des trottoirs, la ville devient vraiment la ville natale de l'enfant. »

Un geste aussi simple que de pousser une voiture d'enfant devient comme une épopée de l'espace. Tout est comme rénové par la présence de l'enfant, et ces gestes que l'adulte n'avait pas encore faits deviennent amples, monumentaux, ils deviennent eux-mêmes figures de l'étendue urbaine qui les entoure.

Une fois encore, les éléments autobiographiques viennent se mêler à la réalité du récit. On retrouve, par exemple, à la p. 27, le square des Batignolles où Handke séjournera avec sa femme et sa fille en 1970. On y retrouve aussi les descriptions qui, dans *le Poids du monde,* orientaient Paris selon la

*Peter Handke avec sa fille
au Jardin d'acclimatation, en 1974.*

géographie désormais établie par *Lent Retour* et *la Leçon de la Sainte-Victoire* :

« On traverse aussi un grand pont ; tout en bas, à une profondeur de précipice, des centaines de rails, issus de la grande gare proche, s'en vont dans une tranchée ample, aérée, et l'arc de l'horizon tendu entre deux falaises de maisons à pic, avec ses tourbillons et le fracas des rapides, anticipe sur l'Atlantique au loin. »

Tout lieu est lieu de croisement, lieu de passage, et l'enfant, transformé « en une partie du corps de celui qui le portait », est comme le lieu géométrique de ces espaces et de ces trajets écourtés par sa présence même.

Mais la présence de l'enfant rend presque superflue celle de la femme, de la mère à laquelle s'est pour ainsi dire substitué l'enfant lui-même sur lequel l'homme reportait,

« sans plus de scrupules ni de réflexions, ces gestes d'amitié, de ferveur la plus secrète, et ces appels qui, au fil des années, étaient devenus des tournures figées dans les relations avec la femme [...] ».

Il en résultera bientôt la séparation dont on retrouvera les traces dans *la Femme gauchère* et dont on peut tout aussi bien inverser les personnages.

Au retour de Paris,

« l'idée s'imposa : l'enfant devait grandir hors de l'activité urbaine, non dans un appartement, mais dans une maison, à l'air ».

En attendant que la maison achetée aux environs de Francfort, à Kronberg, soit entièrement terminée, le narrateur habite chez des amis « dans un vaste appartement ».

La présence de l'enfant « casse » tous les discours. L'enfant interrompt le circuit, le mode de vie établi et incarne ainsi le « malaise » fondateur. Tout ce que le narrateur a ressenti jusque-là, ces sensations qui sont l'objet des livres de Handke sont tout à coup « figurées » par l'enfant, obstacle sur lequel se brisent toutes les données, même les siennes. L'enfant ramasse en lui et fait apparaître l'artifice des attitudes, le « par cœur » que les êtres humains prennent pour leur vérité :

« Il maudissait ces petits prophètes étriqués et satisfaits – ils étaient les déjections des temps modernes –, levait la tête devant eux et leur jurait de rester éternellement irréconciliable. »

Mais l'enfant dont la mère repart pour exercer sa profession, resté désormais seul avec le narrateur, contraint celui-ci à une solitude insoupçonnée, à une dépendance qu'il n'avait pas jusque-là imaginée, puisque, à la fois, elle l'enferme et le révèle à lui-même :

« Coupé de ses pratiques personnelles qui, maintenant, à distance, lui paraissaient toutes belles, il fit uniquement l'expérience d'une vie de tous les jours faite rien que de bruits d'enfant, au rythme du temps d'enfant. »

Par le seul fait d'être « confié » au narrateur, l'enfant fait réapparaître le monde des objets qui se « dressaient obliques, malfaisants », ce monde du *Pupille veut être tuteur* tout à coup devenu réalité quotidienne. C'est un état d'imbécillité qui se distingue à peine de la folie. Voué, hors de toute logique intelligible, à l'enfermement auquel le contraignent ces gestes qu'on a pour un très petit enfant, à la fois prenants et simples, il est séparé du « reste du monde » par cette frontière invisible que l'enfant impose :

« Dépouillé de son esprit, il ne se possédait plus, et l'angoisse, en outre, le privait de volonté. »

Et c'est alors, comme il l'écrit, que « *vint le jour de la faute et l'heure de l'enfant* ». Lorsqu'une nuit de pluie la cave de sa maison se trouve inondée et que l'eau brunâtre monte cette fois encore plus haut que de coutume, l'homme, debout dans l'eau jusqu'aux genoux, entend l'enfant qui, en haut de l'escalier, ne cesse de l'appeler parce qu'il n'arrive pas à se débrouiller avec quelque chose, perd le sens, se précipite en haut de l'escalier et frappe l'enfant en plein visage, de toute sa violence, comme il n'avait encore jamais frappé personne et, dit Peter Handke :

> « L'épouvante vint presque en même temps que l'acte. Il porta l'enfant en pleurs, lui-même amèrement en peine de larmes, à travers les pièces où les portes du Jugement étaient partout grandes ouvertes sur les bouffées muettes et brûlantes des trompettes mortes. »

L'écriture de Peter Handke atteint ici une grandeur et une simplicité presque bibliques par la conjonction entre la violence et le remords ; colère et compassion se rejoignent. *Histoire d'enfant* introduit par là même au cœur des histoires privées universelles où les « petits faits » deviennent monumentaux et épiques, parce qu'ils sont justement ceux qui donnent leur « visage » et leur vérité à des existences entières.

On raconte ici l'histoire fondatrice de la vie d'un adulte et d'un enfant. Le livre raconte le sens du monde : il rend à l'enfant une signification oubliée : témoigner à la fois de la faute de l'adulte et de son remords. Mais le livre « restitue » aussi les lieux et la durée sans jamais indiquer de noms ni de dates. C'est ce qui donne au livre son caractère originaire et donc son universalité.

En même temps, pourtant, *Histoire d'enfant* est engagé au plus profond de l'histoire de notre époque. Son universalité vient justement de ce que l'« histoire » n'est pas un épisode, mais comme la trame de toute histoire possible. Bien que Paris ne soit jamais nommé, on sait que c'est à Paris qu'il retourne avec son enfant, après le départ de « la femme ». On reconnaît la ville immédiatement, c'est là que vont se situer de grands « petits événements » :

> « Dans l'autre pays, l'histoire de l'enfant devint sans événements particuliers, un petit exemple de

l'histoire des peuples ou de leur description ; et l'enfant, sans rien faire pour cela, devint le héros d'événements effrayants, nobles, ridicules et dans l'ensemble, sans doute, éternellement quotidiens. »

L'adulte, responsable de l'enfant, construit à chaque instant une histoire particulière, mais qui est celle de l'humanité en général, puisque tout geste, tout acte accompli « retentit » dans l'âme de l'un ou de l'autre.

Aucun acte n'est innocent, et lorsque le moment est venu de mettre l'enfant à l'école maternelle, ce n'est point un hasard que l'école choisie soit justement celle qui est destinée

« au seul peuple à qui on pouvait donner ce nom et dont il avait été dit déjà longtemps avant sa dispersion dans tous les pays du monde que, même "sans prophètes", "sans rois", "sans princes", "sans sacrifices", "sans idoles" et même "sans nom", il resterait encore un peuple, et auquel, selon le mot d'un exégète ultérieur, il faudrait s'adresser pour connaître la "tradition" la plus ancienne et la plus rigoureuse du monde. C'était le seul peuple dont l'adulte eût jamais souhaité faire partie ».

Et voici que, tout à coup, toutes ces petites choses, ces minimes histoires quotidiennes notées au fil du temps par Peter Handke se joignent en une seule phrase où tout est rassemblé, où retentit peut-être comme jamais et nulle part la déflagration de l'histoire contemporaine, phrase admirable et décisive contenue en filigrane dans tout ce qu'écrivait Peter Handke depuis le premier instant et qu'on pouvait deviner dès les premières lignes, par exemple, de *Bienvenue au conseil d'administration*. L'œuvre de Peter Handke est une œuvre sur laquelle on ne peut se tromper.

Cette œuvre apparemment tellement « apolitique » révèle ainsi d'emblée qu'elle a toujours été dans la Cité, qu'elle est « politique » de part en part, mais qu'elle l'a simplement été à travers un langage autre ; que pour Handke seul compte l'homme et que

L'école destinée
« au seul peuple à qui on pouvait donner ce nom »,
rue Pierre-Guérin à Paris,
où Handke inscrivit sa fille en 1974
(voir Histoire d'enfant*).*

le crime absolu est l'injustice qui lui est faite. Et c'est alors la phrase la plus noble qu'a jamais écrite un écrivain de langue allemande :

« Son enfant, par sa naissance et sa langue un descendant de ces scélérats apparemment condamnés à seulement gigoter en tous sens, sans but et sans joie, jusqu'au dernier descendant et jusqu'à la fin des temps, métaphysiquement morts, son enfant, lui, allait faire l'expérience de la tradition en vigueur. »

On atteint ici aux fondements du monde contemporain tout entier, tel que depuis Auschwitz, à tout jamais, l'ensemble de ce qui existe n'est plus tout à fait comme avant, où ce qui existe est autre qu'il n'était : car la question que Handke ne cesse de poser sans pourtant jamais la formuler ainsi est celle-ci : quelle est la réalité après *cela* ?

Or c'est au nom de ce peuple unique qu'une lettre arrive un jour menaçant l'enfant de mort. L'adulte ne tarde pas à démasquer celui qui ainsi « menace de mettre en pièces » ou de « réduire en morceaux ». Très vite, il en trouve l'auteur, et c'est alors une scène à la fois comique et grandiose où l'adulte « maudit l'histoire » et l'*abjure à jamais*, et où il découvre aussi l'amertume.

« C'est là, avec le deuil et l'allégresse, le sentiment qui touche le plus à la réalité. »

Armé d'un couteau, il va trouver l'auteur de la lettre et tous deux se mettent à rire, étrangement réconciliés. L'école a vraiment existé rue Pierre-Guérin (voir photo) et l'auteur de la lettre aussi. L'anecdote, ici, devient l'histoire du monde.

L'une des dernières « scènes » du livre est, une fois encore, un seuil, un seuil qui va ouvrir sur *Par les villages*, comme si le sens des livres de Peter Handke était de s'écouler l'un dans l'autre dans l'établissement d'une durée qu'à la fois ils contiennent chacun et prolongent tour à tour.

Peter Handke écrit dans l'avenir, pour un monde non encore manifeste, mais que chacun connaît

puisque sous-jacent aux actions précipitées et hâ-
tives quotidiennes. *Histoire d'enfant*, c'est l'histoire
du ralentissement des gestes. Ceux-ci, comme dans
certains films japonais – et on sait l'importance que
les films du cinéaste japonais Ozu ont eu pour Peter
Handke –, deviennent l'expression de la longue
histoire, de la mémoire de ceux qui les exécutent ;
ils ne deviennent pas des attitudes, mais des
moments de la durée humaine rendus visibles : c'est
le sens de la description de cet homme et de cet
enfant que le narrateur voit assis, l'un à côté de
l'autre, sur le pont d'un bateau, sur le lac : un père
et son fils :

> « L'homme travaille, peut-être sur quelque chan-
> tier important, et voit rarement son enfant. [...]
> Peut-être sont-ils ainsi pour la première fois seuls
> en route, et ce n'est en tout cas que pour ce
> dimanche après-midi. Ils ne montrent pas de joie
> particulière ; ils sont assis tranquilles, très droits ;
> ils sont attentifs. L'air est clair et les rives font
> l'effet d'être proches avec le brun des forêts de
> conifères doucement adossés à la courbe des
> collines. L'homme et l'enfant ont les mains sur les
> genoux [...]. »

Toute une existence, à la fois dans son corps et
dans sa durée, est comme rassemblée, retenue dans
ces « personnages » d'un dimanche, sur le pont d'un
bateau, sur le lac bordé de forêts. Tout un monde
apparaît comme à fleur de souvenir avec tout ce que
chacun y a vécu en même temps que les événements
importants de son histoire personnelle.

L'homme et l'enfant sont liés l'un à l'autre par
ce qu'ils voient autour d'eux, par ce cercle de
l'horizon dont ils occupent le centre et qui se déplace
avec eux.

L'homme et l'enfant tels qu'ils apparaissent au
« contemplateur », qui, lui, a laissé son enfant pour
un an à « la femme », forment comme une
transition vers une épopée et un temps futurs qu'ils
contiennent déjà tout entiers et que formulera *Par
les villages*. A la fin d'*Histoire d'enfant*, le narrateur imagine l'homme et l'enfant se rendant,

pour revenir chez eux, à la gare des autocars et, écrit-il,

> « pendant la nuit, le car vide stationnera quelque part dans la campagne, dans un village nommé *Gallizien* [...] ».

Gallizien apparaît déjà dans *Franza*, d'Ingeborg Bachmann, et c'est aussi et surtout le nom d'une province de l'ancien empire autrichien (Galizien), la Galicie, où habitaient de nombreux juifs toujours menacés dans leur vie et dans leur lieu. *Histoire d'enfant* établit la coïncidence des lieux et des hommes en une histoire de portée universelle dans la mesure où tous les lieux appartiennent à tous les hommes. Le passage constant des autocars dans l'œuvre de Handke montre bien comment la durée se constitue par les trajets et les déplacements, et jamais par l'« enracinement » et la fixité. A bon entendeur, salut !

... enfin, le poème dramatique : le tout doit s'appeler « Lent Retour »

« Une tendre lenteur, voilà le tempo de ce discours. » Cette phrase, extraite de l'*Ecce Homo* de Nietzsche, est l'une des deux épigraphes mises en tête du poème dramatique intitulé *Par les villages* ; l'autre, c'est *Rolling on the River*..., début d'un air du groupe rock Creedence Clearwater Revival, qu'il écoutait beaucoup au moment où il écrivait cette « pièce ». Le rock, mais aussi les chansons italiennes, celles d'Eros Ramazotti et d'Alice, et d'autres qu'il allait écouter, après avoir travaillé parfois une journée entière sur quelques lignes, au café Le Monaco, dans le centre de Salzbourg, le seul café un peu vivant de la ville, ou au Max und Moritz, dans les « faubourgs rouges ».

Le ralentissement et les impressions des sens sont le thème de cette pièce écrite à l'automne 1980 et en hiver 1981. Peter Handke s'était installé avec sa fille à la fin de 1979 sur le Mönchsberg, l'un de ces « monts de ville », très bien décrits par Nicole Casanova[51], et qui sera le lieu central du *Chinois de la douleur,* l'un des romans les plus récents de Handke.

Le poème dramatique est comme la montée à la surface, comme l'éclosion de la tension qui traversait ses œuvres jusqu'ici et dont les quatre livres du *Lent Retour* constituent l'épanouissement. Dans *Par les villages* se répand en largeur, en étendue ce qui était jusque-là comme un faisceau d'énergie potentielle. Le « malaise » antérieur devient ici la forme objective de la réalité. On voit ce qui s'offre au regard lorsque le regard ralentit sa perception, lorsque se met à parler ce qui n'avait pas la parole.

Toute l'œuvre de Handke est, même si la formulation peut paraître banale, une parole arrachée au silence, c'est-à-dire à l'impossibilité de se faire entendre. *Par les villages* « fait parler » des ouvriers du bâtiment, une vendeuse ou une villageoise ni comme ils parleraient « naturellement » ni comme on voudrait qu'ils parlent selon ce qu'on suppose être leur conscience politique ou sociale, mais comme au fond d'eux-mêmes ils désirent parler depuis toujours.

Les personnages de *Par les villages* parlent sans programme de parole, ils ne savent pas d'avance ce qu'ils vont dire, cela leur arrive « au fil du temps », une fois qu'ils se sont mis à parler. La « pièce » fait parler quatre ouvriers : Hans, Ignaz, Anton et Albin, comme chacun d'eux parle selon sa rêverie personnelle ; selon la façon dont le monde qui les entoure se met pour eux en place.

Les personnages de *Par les villages* disent des choses extrêmement simples, mais auxquelles ne correspond aucune manière de dire, aucune « tournure », nul « bien dire ». Ce qui est raconté invente son langage au fur et à mesure. *Par les villages* dit ce dont la langue d'habitude se détourne, et fait apparaître les lacunes, les interstices du langage qui sont souvent le plein de la réalité :

> « Seuls, nous les blessés, entendons la beauté et voyons l'immensité »,

dit Hans, l'un des personnages de la pièce, un ouvrier dont le frère, Gregor, revient au pays. Chacun va exprimer, tour à tour, toutes les pensées et tous les

Peter Handke, son demi-frère et Domenika Kaesdorf
à Mülln (Salzbourg), après la représentation de
Par les villages *au festival de Salzbourg de 1982.*

sentiments qui n'ont pas pu jusque-là trouver à s'exprimer dans leur vie quotidienne :

« Parfois, nous pouvons adresser la parole aux montagnes lointaines et même dans le bleu entre deux montagnes être à l'horizon le précipice, là-bas, ou les parois rocheuses. »

Je suis ce que je vois, mon champ de vision, indétachable de moi, m'étend moi-même jusqu'aux bornes de l'horizon. C'est cela que dit Hans, ce pour quoi il a le temps entre deux chantiers.

Le « poème dramatique » se déroule, en effet, au moment où les ouvriers reviennent pour la dernière fois du travail sur le chantier avant de repartir pour un autre, à l'instant donc où le village va se figer à nouveau dans le silence habituel. Tout le déroulement théâtral a lieu à un moment de passage pendant un intervalle où tout ce qui restait sous-jacent se met soudain en place. C'est de nouveau un *seuil*.

Mais le poème dramatique est aussi une histoire familiale : Gregor, le frère devenu écrivain, est, alors qu'il vient apporter son aide financière, presque rejeté du village :

« Mon frère m'a écrit une lettre. Il s'agit d'argent ; de plus que d'argent, de la maison de nos parents morts et du bout de terre où elle se trouve. Comme aîné, j'en suis l'héritier. Mon frère y habite avec sa famille. Il me demande de renoncer à la maison et au terrain [...]. »

Ce sont les premiers mots du poème dramatique, dont le thème est à la fois un drame familial et la redécouverte du monde : « rendre à nouveau le monde visible », recommencer à regarder. Ironie, distance, tristesse, rage, haine, affection, toutes les dimensions y sont à la fois. La nouveauté de *Par les villages* est là : rien n'est exclu du reste : le visible est tel qu'il est et tout part du visible, du regard, du regard qui *ralentit* et donc libère les choses. Le poème dramatique est la mise en place du regard, c'est pourquoi Hans peut dire :

« Une fois par jour, nous sommes peut-être le geste qui répond, loin là-bas, dans l'herbe et la lampe solaire au milieu du fourré, le nid de lumière dans le hêtre pourpre et l'obscurité protectrice à l'intérieur de l'if. »

Les ouvriers du chantier, tout comme Gregor, l'écrivain rejeté de la communauté familiale, parlent, tout comme Sophie, la sœur de Gregor, ou les autres personnages, non pas le langage de la subjectivité, mais celui, presque à l'inverse du *moi-situé,* du moi tel qu'il est constitué par ce qui l'entoure, identique pour tous, malgré la réciprocité des malentendus : quand Gregor parle de son frère Hans, il le fait *comme* Hans parle de lui :

« Les années suivantes, c'est vrai, la discorde s'installa entre mon frère et moi, car il avait fait du mal à nos parents et il avait dépassé la mesure généralement admise au village. Je m'arrangeais pour qu'il soit expulsé de la maison et de la propriété. Et même il y eut une scène où j'étais, moi, debout sur le seuil de la maison, et lui, le rejeté, plus loin, à la limite de la propriété, devant la maison du voisin. Entre nous deux, son sac de voyage bourré de ses affaires [...]. »

Hans, lui, décrit son frère en des termes comparables : l'hostilité se manifeste en un lieu. Les relations entre les frères sont *quelque part,* et c'est ce quelque part qu'il importe de situer. Tout ce qui se passe entre les personnages les relie à un espace. Hans dit :

« Voici Monsieur mon frère. La première année de ma vie, il a laissé ouverte une barrière qu'on avait installée à cause de moi, j'ai dégringolé tout l'escalier et cogné de la tête le sol de ciment et, comme ils ont dit, j'étais tout juste bon à faire un ouvrier. Quand on l'envoyait faire les courses, il nous emmenait tous les deux, son frère et sa sœur, et s'asseyait quelque part, au bord d'un chemin, et lisait et lisait [...]. »

Tout le poème dramatique est ainsi fait d'une confrontation de lieux qui se chevauchent ou se juxtaposent et où chacun des personnages situe ses sentiments. La matière même de ceux-ci, ce sont ces lieux, leur configuration, leur éclairage, ce qu'ils contiennent. Le texte de *Par les villages* est d'une précision visuelle si grande que la figuration scénique s'en impose d'elle-même. Les récits de chacun des personnages dont on a dit, à tort, qu'ils étaient des monologues, sont chacun des mises en scène à l'intérieur de la mise en scène. Les deux passages cités ci-dessus montrent très bien cette matérialité des faits. Rien n'est dit qui ne soit racontable. Jamais, à aucun instant, on ne lit ou n'entend de mots abstraits ou de succession « discursive » où un terme produit presque automatiquement l'autre. Tout est fait de successions matérielles de formes, de gestes et de couleurs que tout le monde perçoit et qui sont la matière de la mémoire de tout le monde. C'est pourquoi chacun des personnages de *Par les villages* incarne le « possible » de chacun des spectateurs ou de chacun des lecteurs.

Bien que le « politique » n'y tienne aucune place explicite, il est à chaque instant présent dans *Par les villages,* puisque le poème dramatique donne la parole à *ce* qui ne l'a jamais et à *ceux* qui ne l'ont que sur ordre ou par adhésion.

Ici, une fois de plus, son attention et sa concentration extrêmes ont permis à Peter Handke de formuler le poétique exactement là où il devient politique :

« Nous les exploités, les offensés, les humiliés, peut-être sommes-nous le sel de la terre. Mais aussi, on se lève souvent la nuit, on aime pisser dans le béton frais. De temps à autre, du coin de l'œil, nous voyons la rotation des étoiles. Les serveuses, nous les appelons : "Viens ici ou je te mords." Nous nous faisons la soupe avec des cubes de concentré sur des réchauds électriques. Le soir, nous chaussons nos lunettes et étudions les Saintes Écritures... »

Le récit théâtral alterne entre le réel et le légendaire, entre le comique et le grave constam-

Par les villages,
mis en scène par Claude Régy en 1983.

ment mêlés. Toute la force et la portée de *Par les villages* sont là dans l'invention d'un théâtre qui *retrace* l'épopée du quotidien et fait surgir la « réalité » que l'usage du langage *omet*.

Par les villages est la pièce de la modernité, elle raconte l'ère contemporaine en faisant voir la superposition des réalités, celle de la destruction et celle du poétique du quotidien, celle de l'exploitation de l'homme par l'homme, mais celle aussi de la libération. Mais au monde poétique qui peut, si on y prend garde, affleurer partout, se substitue celui de la consommation, du « massacre de la nature » et de la « déshumanisation des gestes et des pensées ». En même temps, tout comme *Les gens déraisonnables sont en voie de disparition,* le poème dramatique contient des « portraits » d'une précision psychologique qui fait penser à La Bruyère, par le sens du « détail » psychologique d'abord, et ensuite par l'ampleur de ces détails qui, en quelques mots, reconstituent tout un monde et toute une époque :

> « Caoutchouc-caoutchouc. Ne vous gênez pas. Regardez M. L'Architecte, une bouteille sous le bras en train de remonter de la cave et de montrer à M. l'Avocat, en visite, l'étiquette avec l'année, pendant que Mme l'Architecte, à côté, est en train de faire savoir à Mme l'Avocat qu'elle a un nouveau boucher ou un nouveau boulanger ; le premier livre le chevreuil tout lardé et le second est capable de faire maigrir les obèses avec ses spécialités. »

La « critique sociale » est, en effet, à chaque scène présente, et d'autant plus incisive et véhémente qu'elle n'est pas accusatrice et qu'elle ne met aucun « bouc émissaire » en cause ; elle ne désigne aucun ennemi ; aucune extermination ne se profile en arrière-plan ; on ne veut pas faire justice, mais rendre justice à ceux qui n'ont jamais la parole.

Cette parole-là, c'est celle de Hans décrivant ses collègues de chantier, tels qu'ils sont eux-mêmes en proie à leur folie intime où les gestes se libèrent et s'exorbitent, tels qu'ils existent libérés du carcan de la conformité journalière. Hans décrit ainsi Albin :

« Par ailleurs, Albin, tu le connais, c'est lui qui hurle la nuit dans les gares vides. C'est lui, l'homme au couteau à cran d'arrêt ; le type avec une trompe d'auto pour faire le malin, c'est lui qui, au buffet de la gare, balance la carafe dans la vitrine et fonce tête baissée dans le ventre du premier venu [...] Partout, il connaît la sortie de secours ; il est assis dans les cinémas pornos et il pue [...] le soir, il court dans les marécages et pousse des cris de mort [...]. »

Tous sont aussi fous les uns que les autres et leur folie est pourtant immédiatement reconnaissable par son évidence, comme si elle n'était que l'émergence de la réalité du monde toute proche et toujours cachée par la convention et la conformité.

Mais la folie intime restitue aussi la forme des choses, les « seuils » qui les lient les unes aux autres. Ignaz, ainsi, construit son « château » au village, à côté de la ferme ; un peu comme le facteur Cheval, il construit son « palais idéal » :

« Le château est étrange, il s'amincit fortement vers le haut et par pleine lune fait partie de la haute montagne en pyramide dans le fond, comme une pierre qui la répéterait à l'intérieur du village. »

Jamais, peut-être, la cohérence entre les hommes et les formes ne s'est exprimée aussi fortement et aussi concrètement que dans ce long monologue de Hans (p. 26 à 38) qui raconte toute l'épopée du monde à travers le « portrait » de chacun de ses collègues ouvriers, jamais, peut-être, détresse, violence et miséricorde ne se trouvèrent aussi étroitement associées.

Chaque personnage de la pièce est « saisi » dans sa dignité, hors de toute infériorité ou de toute supériorité sur qui ou sur quoi que ce fût. Une note de *l'Histoire du crayon* à propos de *Par les villages* le dit bien :

« Dans le poème dramatique, les personnages devraient pouvoir s'adresser les uns aux autres comme jadis les héros aux dieux : ce serait le drame naturel sans ces trucs des dialogues ou des actions du théâtre conventionnel. »

Le moyen de rendre les personnages égaux – *ebenbürtig* : nés semblables, dit admirablement l'allemand –, la preuve de leur égalité, c'est le visible ou plus exactement encore l'emplacement, le « seuil » d'où ils regardent le visible. « Tous sont dans leur droit », écrit Handke en préambule à son poème dramatique. Les formes et les sentiments sont inséparables, comme si les endroits n'étaient que la localisation des sentiments ou des drames humains. *L'Absence,* ce grand « conte » paru en automne de 1987, fera justement correspondre la parole humaine à l'exacte configuration des lieux selon lesquels elle s'exprime, comme s'il existait une géographie, un paysage de la parole.

Tout se passe quelque part dans un paysage à la fois conservé et détruit, transformé et resté identique, mais qui est toujours *vu* par quelqu'un. « Le chemin était long », dit Gregor (le frère écrivain) au deuxième tableau du poème dramatique :

« Déjà, à l'entrée de la vallée, les nuages de poussière s'élevaient des chantiers. L'eau de la rivière en était jaune [...] mais moi, j'ai pris le chemin de crête entre les vergers [...]. Un seul être humain est venu à ma rencontre, vêtu de sombre ; il revenait d'un enterrement et, en bas dans la vallée, je voyais les fossoyeurs en gilet coloré avec des boutons d'argent et j'entendais le frottement de leurs pelles plus sonore que le vrombissement des camions sur la pente opposée et le bruit des feuilles sur mon versant à moi. »

C'est ce que Gregor encore nomme au quatrième tableau l'ICIPAYS, exactement le terrain d'ici *(Hiergelände),* c'est-à-dire l'étendue géographique, qui n'est en rien un pays particulier, n'appartenant qu'à ceux qui y sont nés, mais bien au contraire l'« icipays » que chacun a devant les yeux, là où il est. Il se trouve simplement que Peter Handke construit l'« icipays » à partir de l'endroit où il a vécu et passé son enfance, c'est bien pourquoi il peut encore écrire, dans *l'Histoire du crayon* :

« Dans le poème dramatique, tous devraient être sans cesse en désaccord – mais tous chantent le lieu (comme Colone). »

Il n'y a rien de métaphysique dans *Par les villages*, comme Handke ne cesse de le redire[52], rien qui ne soit immédiatement accessible à chacun. Même et surtout le discours de Nova par lequel se conclut la pièce n'a rien de métaphysique ; il a pour simple fonction de rebrousser chemin, de tenter d'annuler l'hostilité entre les personnages de la pièce, de revenir sur tout ce qui a été dit, comme si Nova, simplement, tenait le discours réel de chacun, comme s'il était possible de retrouver ce que cache et masque la peine de chacun. Nova fait voir l'autre côté des choses coutumières. Nova parle des formes et des couleurs. « La couleur est au centre de la forme, elle est la forme », écrit très justement Armando Llamas[53].
Le discours de Nova, c'est celui que chacun s'adresse à lui-même. Personne ne doit être converti à rien. Nova n'est personne, elle ne parle pas en son nom ; son discours, c'est le discours inavoué qui aurait pu changer les choses et qui ne peut être tenu que parce qu'il ne les a pas changées. Nova n'impose rien. Ce dont parle Nova, c'est de ce qu'on peut voir de ce qui s'offre au regard pour peu qu'on ralentisse. Nova, c'est le plaisir des choses :

« Les nuages qui passent, même chassés par le vent, ils vous ralentissent. Quand, par la force du fleuve qui vibre au loin, mon cœur tressaille en moi, alors seulement j'existe. »

La lenteur, c'est une manière d'élargissement, la lenteur rend les choses amples, vastes, monumentales. A l'époque où il commençait à rédiger *Par les villages*, il écrit, dans *l'Histoire du crayon* :

« La hâte, ne fût-ce qu'en cueillant des fraises, était une détérioration, il le sentait bien. Ses gestes ne devinrent vraiment les siens que lorsqu'il se mit à les accomplir avec lenteur. Alors, il se laissa porter par la lenteur des choses. Oui, le ralentissement conduisait à la connaissance. »

Déjà, dans *Lent Retour,* il avait dit : « O monde lent. » La lenteur fait redécouvrir la réalité toujours masquée par le « fonctionnement ». C'est de celui-ci et des encombrements de l'histoire que tente de se délivrer Nova à travers laquelle Handke rejoint un vieux problème qui n'a cessé de se profiler tout au long de l'histoire de la littérature de langue allemande, le rêve d'une innocence toujours impossible.

« Ne vous laissez pas raconter que nous sommes inaptes à la vie, les stériles d'un temps dernier ou tardif. Repoussez avec indignation l'éternel couplet d'être né trop tard. Nous sommes de naissance égale. Ici, nous sommes aussi proches de l'origine que jamais, et chacun de nous est destiné à conquérir le monde. »

L'objectivité d'un regard qui ne juge pas, l'égalité de tous devant l'espace du monde, c'est peut-être le moyen qui reste pour s'affranchir du poids néfaste de l'histoire contemporaine et pour libérer la langue allemande de toute l'horreur qu'y a mise le nazisme, c'est ce qui explique la présence du mot « sauver » qui revient à plusieurs reprises dans *l'Histoire du crayon* et dans *le Recommencement,* l'un des derniers récits de Peter Handke.

Bien loin d'être une tentative pour instaurer l'oubli, *Par les villages* tente à travers la mémoire de l'horreur de « recommencer » la langue, de la ramener à son point de départ, à cette *Ehrfurcht,* ce respect dont parlait Goethe. C'est ici que la « sensation vraie » et la « cité » se rejoignent dans cet élargissement de la conscience par le déploiement de l'attention :

« Marchez jusqu'à voir les détails, dit Nova, jusqu'à distinguer dans l'embrouillamini les lignes de fuite ; marchez si lentement que le monde vous appartienne à nouveau, si lentement qu'on voie bien comment il ne vous appartient pas. »

Nova ne dit que des choses très simples, celles qui se trouvaient dispersées déjà dans *le Poids du monde*, et dont le rassemblement, la cohésion font ici l'originalité et la portée très particulières :

« Le temps, c'est cette vibration qui vous aide à traverser ce maudit siècle et c'est aussi la voûte de lumière de la survivance. Seuls les gens sans regard croient que c'est une image. Temps, je t'ai ! Gens d'ici, oubliez la nostalgie des lieux saints et des années saintes. La vaste sainteté du monde est avec vous [...]. Et cessez de vous ronger pour savoir s'il y a Dieu ou Non-Dieu : l'un donne le vertige à en mourir et l'autre tue l'imagination, et, sans imagination, aucun matériau ne devient forme : c'est elle le Dieu juste. Percevoir et donner consistance à la forme guérit la matière ! »

Ces paroles de Nova sont comme l'« art poétique » de Peter Handke, car le « discours » de Nova est comme un résumé de tout l'art de Handke. Il contient en germe, l'avenir le montrera, les œuvres ultérieures ; *Le Recommencement* et *l'Absence* en sont de toute évidence le prolongement. Le cimetière où parle Nova a été inspiré à Handke par celui de Griffen, son village natal, mais ce n'est en rien un cimetière particulier, il ne signifie nul retour au pays, mais la continuité de la durée humaine, dont les morts témoignent ; ils rattachent à la durée non au lieu ; ce qui importe n'est pas l'appartenance, c'est l'identité : « Vous êtes, et ça c'est une date. »

Le monde est à la disposition de chacun : « Ralentissez-vous par les couleurs – et inventez. » Réinventer la perception comme le voulait Bergson, c'est cela que propose Nova, redécouvrir le monde des couleurs et des formes. Mais son discours remonte aussi le courant de tout ce qui a été dit par les protagonistes de la pièce, elle le reprend et le concentre, comme en un résumé dont de nouveaux récits vont naître.

C'est de l'ICIPAYS de Gregor que parle Nova, mais aussi de cet icipays dont la vieille femme, l'un des personnages de la pièce, dit :

« Tu es dans le mauvais pays, tu es dans un pays aussi petit que méchant ; plein de prisonniers qu'on oublie dans leurs cellules et plus plein encore de geôliers oublieux, plus solidement en poste après chaque méfait... »,

pays qui est, bien évidemment, l'Autriche d'un certain Waldheim ou du chef de la police de Salzbourg en 1985, ancien gradé de la SS[54].

Cela, Nova ne l'efface pas, ne l'annule pas, mais tente de le défaire par l'œuvre d'art, qui seule peut, selon Handke, préserver de la bestialité :

« Le tremblement de vos paupières, c'est le tremblement de la vérité. Laissez s'épanouir les couleurs. Suivez le poème dramatique. Allez éternellement à la rencontre. Passez par les villages. »

6

Le regard sur le monde

Le livre des seuils

L'Autriche, ce pays « aussi petit que méchant », est à l'origine du *Chinois de la douleur,* écrit entre 1981 et 1983 à Salzbourg, où Handke s'est établi en 1980 dans une maison sise sur le Mönchsberg, qu'il décrit avec précision dans le livre.

Le Chinois de la douleur a en effet pour cadre, comme déjà la fin de *la Leçon de la Sainte-Victoire,* Salzbourg et ses environs immédiats. Bien que soit situé avec une exactitude rigoureuse l'emplacement géographique de Salzbourg, à la limite de la plaine et de la montagne, le livre est pourtant tout autre chose qu'une description.

L'admirable première phrase en dit déjà les passages, les transitions, les créations d'espace, toute l'étendue dont il est fait :

> « Ferme les yeux, et le noir des caractères va faire apparaître les lumières de la ville. »

Le paysage jaillit de l'écriture ; langue et objets coïncident. L'écriture de Peter Handke parvient dans ce livre à s'absorber totalement dans ce qu'elle fait voir, puisque c'est elle seule qui le fait voir. Rien n'existe en dehors de l'écriture. La précision, dût-elle parfaitement coïncider avec le réel, n'en provient pas, mais le crée et le fait voir. Même si les environs de Salzbourg sont décrits au point qu'on pourrait utiliser *le Chinois de la douleur* comme un guide des faubourgs de la ville, ce ne sont pas eux qui donnent lieu à l'écriture. C'est bien plutôt l'extrême netteté du style qui crée ici le visible devant l'œil intérieur du lecteur :

« D'abord, les lanternes ne font que charbonner ; ensuite seulement, elles se mettent à rayonner une lumière d'un blanc pur. Un éclat d'un jaune orange, en revanche, provient des lampes à arc fixées à des mâts en béton, à l'extrémité est du lotissement, là où le terminus de la ligne de trolley forme une boucle. »

Tous les lieux, la forêt de Morzg, Anif, Gröde, le Gaisberg (un autre « mont de ville ») ou le « Leopoldskroner Moos » (une plaine marécageuse), existent vraiment, et les marches quotidiennes de Peter Handke l'y ont conduit des années durant, de 1980 à 1987, mais leur existence réelle ne prend en rien compte de leur existence littéraire. Illustrer la construction de la réalité qu'opère ce livre par la réalité anecdotique, aller suivre le personnage du livre à la trace et parcourir ses chemins après lui ne montre rien de la réalité même de l'écriture.

Andreas Loser, le « héros » de cette histoire, est professeur de langues anciennes dans un lycée de la banlieue nord-ouest de Salzbourg. Auteur d'une recherche archéologique sur les « seuils », il se fait mettre en disponibilité, sous prétexte de terminer la rédaction de son travail, en réalité, parce que, tout comme la femme de *la Femme gauchère,* il s'est trouvé en proie à sa propre violence un jour que, dans la rue aux Blés (Getreidegasse) de Salzbourg, il a délibérément bousculé et frappé un inconnu devant une vitrine de magasin :

« L'homme s'est effondré en chancelant avec un cri de douleur étrange, à peine audible, puis il s'est relevé, sans même que je lui eusse tendu la main. »

Or ce geste, à la fois fortuit et volontaire, lui fait retrouver les deux autres fois où il a frappé un être humain : une jeune fille qui en embrasse une autre sous ses yeux et un enfant dans la salle d'étude d'un internat :

« La gifle à la salle d'étude, venue d'un prétexte futile, me poursuit encore. N'importe qui jusquelà, je me suis alors révélé un malfaiteur. Le regard

En descendant du Mönchsberg,
c'est là que commence le trajet à travers la ville dans
l'Après-midi d'un écrivain.

du battu, que je n'avais pas vraiment atteint, me dit par-delà les décennies : toi, maintenant, je te connais – je sais quelle sorte d'individu tu es –, toi, je te marque sur mes tablettes. »

Or ce regard resté invariable, sans jamais ciller au fond de la mémoire du spectateur, se lie au geste qu'il vient de commettre. La réalité est cela : la liaison des faits entre eux, l'inoublié, la durée prise, une sorte de mémoire *en creux,* en deçà des choses.

D'une part, il y a la *forme :* les deux pyramides du grand et du petit Staufen (deux montagnes proches de Salzbourg), qui se recouvrent exactement l'un l'autre comme déjà dans *Par les villages* le « château » d'Ignaz se superposait à la montagne derrière lui, et, d'autre part, le vide, la forme vide où tout peut s'inaugurer :

> « La chaleur vide dont j'ai tant besoin s'est répandue. C'était comme un éclairement, ou, si le mot existait, un "originement" par lequel tout s'inaugurait. Ce n'était pas un vide, c'était être vide ; c'était moins mon être-vide personnel qu'une forme vide. Et la forme vide s'appelait récit. »

Toute la première partie du livre, intitulée « le contemplateur regarde ailleurs », procède de cette forme vide qui permet d'« accueillir » le paysage, la banlieue de Salzbourg telle qu'elle s'étend autour du petit appartement qu'habite Andreas Loser, au-dessus d'une épicerie.

La lecture devient ici une véritable aventure, l'exploration passionnante d'un cadre très précis, mais dont la nature verbale – par sa puissance, sa force de concentration – *ménage* le vide où va, par éléments successifs, s'inscrire la vision d'ensemble du lecteur.

Aussi le vide va-t-il se peupler de silhouettes (p. 12), et le lecteur accompagnera Loser à travers la plaine alluviale autour de Salzbourg. L'écriture du livre est si précise et à ce point « visionnaire » qu'elle crée en effet le visible, un « paysage » dont on ne peut plus se défaire et qui s'emboîte exactement sur le paysage intérieur que chacun porte en soi ; c'est cela qui est très particulier dans l'écriture de Handke et qui lui donne son universalité ; elle est *reconnaissable* pour chacun dans le visible qu'elle fait naître.

A bien lire la première partie du *Chinois de la douleur,* on voit vraiment le paysage se déployer selon ces « points invisibles » autour desquels se disposent les « Sainte-Victoire » de Cézanne. L'œil intérieur du lecteur le voit dès lors prendre place en lui comme un lieu où il aurait vécu, qu'il aurait corporellement parcouru. Andreas Loser (Loser le « perdant », comme Sorger le « soucieux »), qui a quitté sa femme et son fils, a loué une chambre au-dessus d'un magasin Spar (une sorte de Coop), dont il entend ronfler le réfrigérateur en dessous de lui. Le lecteur sent très bien la disposition des lieux, comment ceux-ci trouvent leur emplacement organique dans l'ensemble du paysage :

« La brume devint mon compagnon de retour. Le chemin remonte l'eau toujours le long du canal, change de rive par un pont et ramène par l'autre. C'est d'abord une sente goudronnée, en haut sur la digue ; puis, à la fin de cette portion de digue, il devient la rue d'un lotissement et enfin, jusqu'à la boucle de l'autobus, un chemin pour cyclistes et piétons. »

L'espace est ainsi marqué par une géographie poétique qui crée pour le lecteur un espace du corps *orienté* selon la géographie cénesthésique qui lui est propre.

L'une des surprises poétiques ménagées par l'œuvre de Handke est de ne jamais être une copie de la réalité. Bien sûr, on peut à Salzbourg, le long de l'Almkanal, refaire, jusqu'au Leopoldskroner Moos et ensuite Anif, en passant par la forêt de Morzg, tout l'itinéraire presque quotidien de Peter Handke et de son héros, Andreas Loser, et reconnaître sur place l'endroit précis où il va commettre son crime, sur le Mönchsberg, mais cela ne rendra pas forcément compte du livre et ne le fera pas forcément mieux voir.

Ce qui compte, en effet, ce n'est pas tant l'exactitude des lieux que leur situation, leur exposition, leur orientation devant l'œil intérieur dans le corps même du lecteur.

Toute cette première partie est une admirable aventure géographique, l'un des parcours les plus saisissants qu'on puisse lire, puisqu'on y est par la force des mots introduit au cœur de la réalité matérielle d'un espace à trois dimensions.

Mais cette aventure du lieu est coupée, tranchée au vif d'elle-même par l'effroi et la souffrance dont le coup de poing dans la foule n'était qu'un signe. Dans les bruits de plus en plus espacés de la nuit retentit soudain un cri :

> « Pourtant, au profond de la nuit – plus de bruit, l'écriture évanouie –, un réveil en sursaut ; on se jette à la fenêtre, la souffrance annule tout ce qui est arrivé et dépasse même par sa continuité le gargouillement du cri de mort. Et il s'agit vraiment d'un cri : un CRI crié. Quelqu'un crie. Non pas quelqu'un, un enfant crie. »

C'est ce cri désormais – l'indescriptible angoisse de l'enfant – qui ne cessera de retentir à travers la création tout entière comme la refente de l'injustice, cette injustice par l'horreur de laquelle débute – on l'a vu – l'œuvre de Peter Handke. Ce cri a peut-être été poussé par un enfant dit « handicapé » d'un « foyer » des environs. Or ces handicapés, qu'il a un jour rencontrés dans les rues de Salzbourg (peut-être est-ce l'un d'eux qui crie), sont sa compagnie, celle à qui il n'a pas de compte à rendre et avec laquelle une sorte d'entente muette est immédiate. Il les retrouvera à la fin du livre, en Italie, à Andes, près de Mantoue où est né Virgile, dont il commente et lit les *Géorgiques*. Les *Géorgiques* opèrent ce ralentissement qu'il cherche pour lui-même par le regard sur les choses, mais que ce « cri » paralyse et change en pétrification.

Le cri qui retentit à travers le livre, c'est la violence faite à l'homme, à l'enfant, c'est elle qui est figurée par ce personnage qui, dans la deuxième partie intitulée « Le contemplateur intervient », peint des croix gammées sur les chemins du Mönchsberg où il doit retrouver des amis pour une partie de cartes.

166

Tout frais encore, ces barbouillages ont été tracés par l'Empêcheur. Il l'avait déjà entr'aperçu :

« Le pouce grotesquement mobile sur son articulation, l'intérieur de la bouche d'un blanc de craie, le pied d'une nudité de crocodile, l'œil dont toute couleur semblait, littéralement, avoir coulé, la nuque enflée à force de souffler dans des sifflets à roulettes. »

Il est la foule de ceux-là, de ceux qui firent et feront encore le nazisme. Nul texte « engagé » n'en dira jamais autant que ces quelques lignes. L'Empêcheur, l'assentiment et la complicité avec le nazisme et l'extermination éteignent d'un coup le visible et le recouvrent d'une chape d'ombre et de pesanteur. Alors, comme dépossédé de lui-même, le narrateur le tue d'un jet de pierre (p. 65-66) et en jette le cadavre par-dessus le rocher.

Ces pages où le monde est à la fois obscurci désormais par ce crime, mais aussi symboliquement et momentanément débarrassé de l'Empêcheur sont parmi celles qui élucident le plus la « pensée » de Peter Handke : à la fois il y a le visible et il y a cela qui n'a pas de nom, la shoah, l'Irréparable pour lequel aucun rachat n'est plus possible et qui recouvre toute perception d'un hâle imperceptible. Avec le meurtre, c'est le *défi* qui commence :

« Quelque chose de juste avait eu lieu et j'appartenais maintenant au peuple des Malfaiteurs : il n'en est pas de plus dispersé ni de plus solitaire. »

Le monde des seuils, celui qui se met en place avec les joueurs de cartes, sur le Mönchsberg, au milieu des quelques bruits et des quelques allées et venues de la maison, est recouvert, caché parce que le crime ne cesse d'avoir lieu quelque part. Or ce monde des seuils, que décrit à son tour chacun des partenaires, le peintre, l'homme politique, le prêtre et enfin Loser, est le monde de la durée réelle, celle des passages, mais séparé de sa réalisation par la présence invisible du crime.

Le seuil n'est à personne, il est passage, on s'y trouve à la limite de deux endroits à la fois, et l'un et l'autre y sont à la fois possibles. En tant que lignes de franchissement, ils font basculer un espace sur l'autre, frange entre deux mondes, ils sont à la fois l'« ouvert » et l'anonyme, une nouvelle manière de formuler la conscience vide :

> « Dans le mot seuil, il y a changement, flots, gué, selle, obstacle, refuge. "Le seuil est accueil", disait, paraît-il, un dicton presque disparu. »

Le seuil, c'est ce qui n'est ni définitif ni défini. Le seuil donc ne s'impose pas et n'impose rien ; en tant que transition, il assure l'espace du monde, il légitime les passages et fait, à son tour, voir les choses de façon nouvelle.

> « La conscience des seuils pourrait alors transporter d'une manière nouvelle l'attention d'un objet à un autre et de celui-ci au suivant, et ainsi de suite jusqu'à l'instant où apparaîtrait sur terre l'escalier de paix. »

C'est le récit qui mène à l'escalier de paix, le récit, c'est-à-dire l'« enchaînement convenable », le passage d'un seuil à l'autre : « Récit, cela voulait dire c'était, c'est, ce sera – cela voulait dire avenir. » C'est par le récit que l'enfance redevient actuelle et retrouve les seuils et le sens des seuils :

> « Être assis sur le seuil, c'était comme dimanche ou après le travail. On avait fait son devoir et on se reposait. Quand ceux qui passaient vous voyaient ainsi assis sur le seuil, ils devenaient aimables. On y était à sa place. Lorsqu'un jour des enfants plus grands me poursuivirent avec des bâtons, je ne me réfugiais pas dans la maison, mais je les attendis sur le seuil : ils me saluèrent et me firent un signe de tête comme si rien ne s'était passé. »

Les faits, les éléments du monde extérieur tels qu'ils apparaissent dans ce livre ne se succèdent pas fortuitement selon les hasards et les occasions du récit, mais ils sont chacun le seuil de l'autre, ils aboutissent chacun à l'autre, comme des paysages riverains. Le récit suit les mouvements de la tête comme si le regard allait de la droite à la gauche et revenait. Dans le regard, tout est continu, tout est précisément relié par des seuils. C'est toujours quelqu'un qui regarde ces paysages, lesquels, en ce sens, ne sont jamais déserts.

L'autobus, en l'occurrence le trolleybus, présent dans tous les récits de Peter Handke, est dans *le Chinois de la douleur* le maillon de cette continuité, il est un exemple de « forme germinale » dont naît toujours un geste, un contact avec le matériau et les structures profondes du monde :

> « Les deux perches en haut, contre les câbles, ne communiquaient pas seulement le courant néces- saire, mais semblaient aussi empêcher trolleybus et occupants de s'abîmer dans la terre : suivant leur exemple, je me tins des deux mains aux poignées au-dessus de moi. »

Il n'y a pas plus de gestes isolés qu'il n'y a de lieux isolés : tout débouche par les seuils sur tout. Dans la troisième partie du livre, « Le contemplateur cherche un témoin », pendant la semaine sainte, Loser vit dans une damnation sèche, sans remords, mais dans une désolation opaque autour d'un centre « vide ».

> « Ou bien le centre, c'était le lieu des falsifications : quand je le cherchais, il était masqué par des panneaux publicitaires ou les plantes d'ornements aux couleurs ratées. »

Depuis le meurtre, le vide générateur de formes est devenu trou :

> « Ce trou en plein jour, c'était un tourbillon de lait tourné, et la nuit, tout au plus, une fausse étoile y transmettait les dernières nouvelles d'accidents et de guerre. »

La réalité poétique s'expulse elle-même et devient comme l'intérieur de la bouche de l'Empêcheur,

*La boucle du terminus qui joue un si grand rôle dans
le Chinois de la douleur.*

crayeuse et sèche. Mais c'est alors qu'apparaît au-dessus de la ville l'avion par lequel arrive la femme à laquelle il va s'unir dans l'hôtel désert de l'aéroport, dans une chambre si étroite que les lits y sont disposés tête-bêche. C'est elle qui le « reconnaît » et s'unit à lui :

« Oui, ce fut la femme qui reconnut l'homme : et ce fut elle aussi, geste irrécusable, majestueux, qui s'unit à lui. »

C'est peut-être de s'être uni à la femme qui amène peu à peu la possibilité de la Réconciliation avec l'ICIPAYS de *Par les villages,* c'est-à-dire avec le partout et l'ailleurs, avec les seuils qui s'ouvrent et réaboutissent l'un dans l'autre, puisque c'est au bord du *lago* de Barratz, en Sardaigne, où il s'est rendu en avion après s'être baigné dans l'eau limoneuse du Mincio des *Géorgiques* de Virgile, que Sorger, pourtant, retrouve la pierre de ce meurtre qui désormais apparaît toujours à l'horizon de la Réconciliation :

« Sur le chemin du retour, vers l'arrêt de bus, je vis dans la poussière rouge la pierre avec laquelle j'avais tué, d'un blanc de chaux, les trous ronds, à l'intérieur, des prises pour les doigts. »

Mais ce chapitre se termine par le retour du père auprès du fils : « J'ai besoin de toi comme témoin. »
La dernière partie du livre, simplement intitulée « Épilogue » et longue de sept pages à peine, parvient à construire, autour du lecteur, sur un espace réduit, un pont sur la Salzach à Salzbourg, un environnement sensoriel qui se prolonge à l'infini. Ce pont, un dimanche matin, fait se déployer le monde entier comme un horizon se succédant à l'infini. Le monde entier en emprunte l'arche, et les gens qui passent sur le pont font se succéder tous les êtres humains, chacun apparaissant à la fois plausible et légitime. Le visible, une fois encore, se fait ici parole. Mais la parole communique à tel point la présence physique du « dehors » que les mots deviennent eux-mêmes des paysages où on a envie d'aller

« éternellement à la rencontre », comme l'écrit Handke à la fin de *Par les villages,* et on est tenté de conclure soi-même par les derniers mots du livre : « Paix, malice, silence, solennité, lenteur et patience. »

Le déploiement du monde dans l'écriture

Les pages qui précèdent ne sont qu'une tentative d'ouverture possible à une œuvre d'un écrivain tout juste âgé de quarante-cinq ans ; elles ne prétendent en rien être exhaustives, elles ne sont qu'une lecture, et d'autant plus provisoire que, pendant leur rédaction, d'autres œuvres étaient déjà écrites ou en cours de traduction, comme l'*Après-midi d'un écrivain* ou *le Recommencement,* ou en cours d'impression, comme *Die Abwesenheit (l'Absence).*

Ces livres seront tous écrits jusqu'en octobre 1987 à Salzbourg. Ils sont nés pendant les longues marches que Handke fait l'après-midi ou le soir autour de Salzbourg, ou durant ses voyages à pied en Yougoslavie, en Slovénie, au nord de Trieste. La rédaction, la mise au point définitive se feront dans la petite pièce de la maison du Mönchsberg, que décrit l'*Après-midi d'un écrivain.*

Deux ans après son arrivée sur le Mönchsberg, Handke a soudain changé de côté à sa table et a, depuis ce jour, travaillé avec la lumière d'une fenêtre dans le dos et celle d'une autre à sa droite. Sa table occupait un angle de la pièce, plus exactement une sorte d'échauguette ouvrant sur le reste plus vaste de la pièce. Cette recherche de la lumière la plus adéquate joue en effet un rôle déterminant dans son écriture.

Dans *le Recommencement,* par exemple, c'est l'éclairage du paysage, son jour, qui est comme l'âme du récit : on y retrouve aussi, comme se déversant par touches successives dans l'œuvre, mais peut-être suscité par un certain éclairage, un souvenir de collège, l'inimitié irréconciliable, irréparable entre un professeur et un élève. La matière du livre sera de donner au rappel de l'enfance angoissée, mais aussi heureuse et forte, la consistance du présent en

*La table de Peter Handke
dans la maison sur le Mönchsberg.*

les situant tous deux sous une même lumière (d'où les nombreuses descriptions de ciel ou d'intempéries, etc.).

L'*Après-midi d'un écrivain* est le récit d'une fin de journée de travail dont les détails prennent une dimension épique, mais aussi plausible et proche du lecteur. Le lecteur devient cet écrivain qui va « se reposer » au café. La densité du récit n'est pas dans l'exceptionnel, mais dans l'évidence des faits et gestes décrits.

D'étape en étape, l'œuvre de Peter Handke ne cesse de s'approfondir et de se diversifier tout en ne cessant de prolonger et de préciser l'exploration des lieux et des « thèmes » par lesquels elle est déjà passée. C'est que le réel poétique est inépuisable, comme si chaque livre ne faisait que révéler une matière que, de livre en livre, on n'aurait jamais fini de sonder.

Le Recommencement, qu'a traduit Claude Porcell, tente la réconciliation entre l'émigration et la sédentarité, c'est une tentative presque désespérée pour faire parler, une fois encore, tout ce qui a été à tout jamais souillé par l'infamie nazie : ce qui était « valeur » d'exclusion devient accueil et anonymat.

Dans *le Recommencement,* tout comme dans *l'Absence,* le dernier livre paru de Peter Handke, le « voyage », une fois de plus, est au cœur de l'immobilité ; celle-ci est constituée par l'étendue que le voyage traverse. Ce livre, qui est un « conte », tente de transformer la perception en matière du monde ; le visible devient une aventure captivante où chacun des personnages finit par parler la langue correspondant au lieu où il se trouve, comme si chaque emplacement géographique contenait en quelque sorte la parole qui lui est propre.

Horreur et dégoût ne viennent que de la rupture entre le monde obligé et la réalité du monde. Tout l'effort de Handke consiste à faire émerger le monde lent, le monde vivable sous le monde de la précipitation et de l'agression quotidienne. L'écriture oblige ainsi à chaque mot, à chaque phrase, à un effort de concentration extraordinaire pour parvenir d'abord à cette zone où les glissements, les polissages et les mécaniques habituelles le cèdent à ce vide à la fois informulable et clair où la parole peut formuler ce qu'elle « voit ».

Plus le temps passe, plus l'écriture résiste à Handke, plus il lui est difficile d'écrire et plus, pourtant, il y est contraint, mais plus aussi l'écriture apparaît comme la « résolution », comme le moyen de rejoindre le monde, non de le refaire. L'écriture est la voie où le ressenti et l'exprimé parviennent à se conjuguer, et c'est pourquoi l'écriture de Peter Handke tente d'abolir le mot pour parvenir à la figuration sensorielle par le mot.

Que ce dernier livre paru soit appelé « conte » n'est pas un simple changement de dénomination, mais a des raisons très précises. Le récit, le mot, en effet, opèrent la transformation du réel, au point que chaque personnage finit par correspondre à un lieu, au point que l'appropriation à ce lieu devient une description du caractère des personnages : chacun d'eux est changé par le parcours qu'il entreprend, le visible influe sur celui qui voit. La voyance, telle que l'entendait Rimbaud, fait que rien n'est plus pareil une fois qu'on a vu. L'écriture est cela, la légère secousse, l'infime décalage qui déplace le monde à tout jamais par rapport à la vision habituelle et « utilitaire », et met sur les choses cette pellicule imperceptible qui les fait échapper à leur « fonctionnement ».

« Espace, temps, milieu, forme : il était à la recherche des quatre ; et en quoi l'espace, le milieu, la forme sont-ils une seule et même chose ? dans l'écriture, celle qui continue sans cesse (c'était elle le centre du monde, oui, la littérature est le royaume du centre : le royaume de la justice) »,

écrit-il dans *l'Histoire du crayon*.

C'est ce royaume du centre, ce « milieu » qu'abordent et explorent *le Recommencement* et surtout *l'Absence*. Une fois encore, le personnage témoin, l'un des personnages de *l'Absence*, semblable en cela au Werther de Goethe[55], retrouve parmi les débiles, déjà rencontrés dans *Lent Retour*, la compagnie qu'il lui faut, parce que dénuée de tout *a priori* et de tout concept :

« Un tas d'idiots, enfants ou adolescents, traverse la place en gargouillant, en criant de joie, en poussant des trilles incompréhensibles, avec deux accompagnateurs ; tous marchent presque accroupis ; au premier abord, une masse de sauts en sac. »

Les idiots, c'est le peuple du témoin, c'est d'eux qu'il se sent, un instant durant, faire partie, car les idiots apportent l'apaisement, tout comme les lieux anonymes et insignifiants, telles les routes ou les gares de province. C'est par les lieux anonymes et inorganisés, par ce qui ne recèle ni organisation ni intention (d'où le caractère immédiat des idiots) que se produit l'apaisement.

« Je crois aux endroits, non pas aux grands endroits, mais aux petits, aux endroits inconnus, à l'étranger aussi bien que dans le pays même. [...] Je crois à la force de ces endroits, parce que rien ne s'y passe *plus,* parce que rien ne s'y passe *encore* »,

écrit-il dans *l'Absence.*
Pouvoir être quelque part, avoir des hangars, un quai, un canal, une gare ou une prairie de chaque côté de soi ; ce fait d'avoir à droite et à gauche, devant et derrière soi du paysage, de l'étendue, confère, à condition de pouvoir simplement s'y abandonner, une sensation à la fois pleine et large à partir de laquelle la vie peut s'inaugurer de manière nouvelle : en des lieux de cette sorte, il n'est plus besoin de signes : « Nous y aurons simplement été », et ajoute-t-il :

« L'herbe y aura tressailli comme ne tressaille que l'herbe, et le vent y aura soufflé comme ne souffle que le vent, les fourmis auront traversé le sable en cortège de fourmis et les gouttes de pluie dans la poussière auront pris la forme incomparable de gouttes de pluie dans la poussière. En cet endroit, sur les fondations du vide, nous aurons simplement vu la métamorphose des choses en ce qu'elles sont. »

Et c'est là où on retrouve, une fois de plus, *l'Histoire du crayon*, où Handke écrit :

« La force des contes – le manque de force des légendes : les contes me saisissent comme une leçon de vie et continuent à agir en moi ; en revanche, ce que les légendes racontent a été une fois, rien qu'une fois, pas même une fois "une fois". »

Ainsi *l'Absence* – c'est un conte – continue à agir dans l'esprit du lecteur. *L'Absence* est un conte, en effet, par son pouvoir de transformation du réel. En un certain sens, *l'Absence* marque pour Handke la fin de l'écriture personnelle : c'est un livre qui appartient à tout le monde et dont lui, l'auteur, n'est en somme que le rapporteur ; le conte ne fait que transmettre le soi « vide » par lequel s'opère la transformation poétique anonyme du réel.

C'est peut-être pourquoi, dans l'*Après-midi d'un écrivain,* Handke fait dire au traducteur de l'écrivain qu'il est heureux d'avoir abandonné sa propre écriture pour ne plus que traduire. « Plus rien surtout qui me fût propre », dit le traducteur devenu, par sa traduction, à la fois anonyme et nécessaire :

« Enfin je peux participer au jeu au lieu de devoir être le joueur solitaire de jadis. C'est ainsi seulement en tant que joueur parmi les autres que je peux jouer mon atout ! »

dit encore le traducteur de l'écrivain.

De tous les personnages, ce traducteur est celui qui, semble-t-il, accède le plus à cet apaisement que tous recherchent. De même que, dans *l'Absence,* le narrateur voit les choses être ce qu'elles sont, de même, dans l'*Après-midi d'un écrivain,* le traducteur peut dire :

« Le traducteur a cette certitude : on a besoin de lui. Et c'est ainsi que je me suis aussi débarrassé de l'angoise [...]. En me réveillant le matin, comme dans les premiers temps, au lieu de reculer d'effroi devant l'exil, j'ai la nostalgie de la traduction.

Traducteur que je suis et rien d'autre, sans arrière-pensées, je suis tout entier celui que je suis. »

Une fois de plus, pour exprimer des choses essentielles, Handke recourt ici à des éléments autobiographiques, mais transposés par l'écriture de façon à échapper à tout ce qui est particulier et fermé sur un seul personnage : tout ce que Peter Handke raconte de lui est toujours valable pour autrui. En se racontant, il raconte autrui ; c'est bien pourquoi lui seul pourrait écrire sa biographie. Son expérience de traducteur devient ainsi une description très précise de cet « état intérieur » en rapport avec l'« état des choses » que voudraient atteindre les personnages de *l'Absence*.

La traduction a joué un rôle très important dans le travail littéraire de Handke, et ses traductions du français, du slovène ou de l'américain sont parties intégrantes de son œuvre littéraire, il n'a traduit que les auteurs qui ont enrichi sa propre vision des choses et il les a toujours choisis lui-même et imposés à ses éditeurs. Mais ces traductions, de même, appartiennent tout aussi bien à leurs auteurs ; Francis Ponge et René Char sont ainsi en allemand ce qu'ils sont en français. A cet égard, le traducteur incarne bien l'idéal de *transmission* tel qu'il est défini et représenté dans *la Leçon de la Sainte-Victoire.*

De même que *Lent Retour* était un tout, les trois livres, *le Recommencement* (1986), l'*Après-midi d'un écrivain* et *l'Absence* (1987) forment eux aussi un ensemble dont *le Recommencement* serait l'amorce et *l'Absence* la mise en place. Ce qui se prépare dans *le Recommencement* : la reconnaissance des lieux, se résout dans *l'Absence.*

Le Recommencement est l'histoire de Filip Kobal, âgé de quarante-cinq ans et qui va en Yougoslavie, en République fédérée de Slovénie, à la recherche de son frère disparu. En réalité, il va à la recherche du pays qui lui correspond et dans lequel il pourrait momentanément au moins se reprendre. Le paysage qui le délivre de l'angoisse et lui donne l'apaisement, c'est le karst, ce paysage calcaire de l'Istrie :

Le karst décrit dans le Recommencement.

> « Jamais je n'ai rencontré jusqu'ici de contrée qui,
> comme le karst, m'ait paru être, et dans toutes
> ses composantes isolées (y compris tracteurs,
> usines et supermarchés), à ce point le modèle pour
> un avenir possible »,

dit Filip Kobal. Le karst slovène associe le désert
absolu, la nature sauvage et multiple à la constante
présence des êtres humains et des villages ; Rinken-
berg, le village slovène d'Autriche où Kobal est né,
trouve son équivalent de l'autre côté de la frontière,
et c'est là, en pays slovène, qu'il redécouvre l'image
de sa mère – on retrouve ici le thème du *Malheur
indifférent* –, sa mère qui le comprend entièrement
sans qu'il ait besoin de parler et qui vient ainsi le
retirer du collège au moment le plus dramatique de
l'inimitié irréparable entre le professeur et l'élève.
Tout le récit est fondé sur une « restitution » de
l'enfance, si forte que le lecteur a le sentiment
d'avoir lui-même vécu cette enfance.
  Le lieu est transférable d'un lieu à un autre. Il
n'y a pas de lieux fermés, réservés aux uns, interdits
aux autres. Tous les lieux, dans *le Recommencement*,
sont des lieux ouverts, des lieux de passage :

> « Me voici déjà dans le tunnel comme dans une
> maison et voici déjà, comme prévu, au bout de
> quelques pas, la niche creusée dans le rocher et
> protégée des rails par un parapet de béton : "Mon
> écurie !" pensai-je. »

Mais creusé par des prisonniers assassinés pendant la Seconde Guerre mondiale, ce lieu est lui aussi
marqué par le crime absolu qui ne cesse de peser
sur le présent. Peut-être le sommeil de quelqu'un
qui n'est pas encore coupable peut-il contribuer à
en effacer l'horreur. Kobal, qui s'y réfugie pour la
nuit, y découvre à quel point la solitude est
mauvaise.
  La recherche du paysage est entravée par la
constante et indétachable présence du moi, de ce moi
que rencontrait déjà le Bloch de *l'Angoisse du
gardien de but*, indétachable de lui-même, obstacle
ignoble et infranchissable :

« D'abord, l'anxiété se transforma subitement en effroi, comme si son heure fut venue, et l'effroi en une épouvante dans laquelle, simple excroissance désormais, il attendait son anéantissement. Ce n'était cependant pas lui qui venait, mais, à sa place, la présence d'un étranger qui n'eût pu l'être davantage, et qui était moi. C'était MOI et ce MOI s'écrivait en majuscules, parce qu'il était gigantesque et le dominait, maître de l'espace, lui déliait la langue et les membres, que c'était son nom écrit »,

toujours paralysé par cette présence souterraine et constante de la malfaisance de l'histoire.

Kobal tente d'aboutir à un regard objectif sur les siens et sur ce qui l'entoure : il voyage simplement pour *asseoir* son regard. Mais le retour en Autriche tranche à nouveau l'étendue du regard, l'effet du paysage est paralysé par le poids de l'histoire.

Le retour en Autriche, accompagné par la joie de retrouver la langue allemande après des semaines de slovène, est aussitôt obscurci par les retrouvailles avec une foule apparemment faite de promeneurs pacifiques, mais qui sont en réalité toujours à la recherche d'une éventuelle victime ; un commando de meurtriers et d'exécuteurs, à chaque instant prêts à se jeter sur l'étranger ou l'ennemi désigné :

« A peine arrivé dans la petite ville, celui qui y revenait y redevint la proie des remous de la société, que son absence, lui sembla-t-il, n'avait pas empêché de poursuivre ses rondes, en quête d'une victime. Et voici que l'Inconcevable, l'Ennemi était à nouveau là ! Sur la route, déjà, ils l'avaient dépassé dans leurs autos, ils avaient annoncé aux autres son approche. Il était attendu par leur commando camouflé en promeneurs du soir, les laisses de leurs chiens passées en bandoulières n'étaient en vérité que les bretelles de leurs fusils, et leurs sifflets, leurs appels à tous les coins de rue n'avaient pour but que son encerclement. »

Cette paralysie d'âme devant le meurtre perpétuel atteint de la même façon, à leur retour, les personnages de *l'Absence*.

L'Absence est le premier livre de Handke, depuis *Faux Mouvement,* où plusieurs personnes forment de manière fortuite un ensemble, jamais un groupe. Du « groupe », cette infamie des temps modernes, Handke dit, dans *l'Histoire du crayon* :

> « Qu'est-ce que je pense quand j'entends le mot "groupe" ? "Un rire de dérision qui vient vers moi." Mon ennemi, c'est le groupe (plus de deux ou trois) ; toute espèce de groupe est mon ennemi. »

Ces personnages se rencontrent simplement parce qu'ils vont dans la même direction sans savoir où ils vont. Cet ensemble de gens fait volontairement penser aux émigrés de Goethe. Handke fait explicitement référence aux *Conversations d'émigrés allemands,* de Goethe. Les personnages se déplacent ensemble, mais chacun continue à être « pour soi », car chacun des personnages est aussi décrit à partir du point où il ne joue plus le jeu, à partir de son « absence ». Ainsi, sa mère décrit l'un de ces personnages :

> « Au restaurant, tu es toujours celui dont la serveuse a oublié la commande, et, devant un guichet, celui que les derniers arrivés contournent comme quelqu'un qui se trouve simplement au milieu de leur chemin. Dans une pièce, tu pourrais être le seul, mis en évidence par un projecteur et une estrade, on t'oublierait quand même. »

De ces portraits vifs et précis, Handke en a déjà tracé dans *Par les villages :* les êtres qu'il décrit sont toujours *défaillants,* ils manquent à leurs devoirs et se contentent de se déplacer, mais se de déplacer pour découvrir la réalité du monde, pour découvrir les lieux-seuils. Mais y avoir été transporté n'est pas véritablement se déplacer, ce n'est pas véritablement faire la connaissance des lieux :

> « Les endroits où j'ai été transporté, je n'y ai jamais été. Ce n'est que par la marche que quelque chose s'en laisse recommencer. Ce n'est que dans la marche que s'ouvrent les espaces et que dansent

les espaces intermédiaires ! Ce n'est qu'en marchant que je tourne avec les pommes dans l'arbre. Il n'y a qu'à celui qui marche qu'une tête pousse sur les épaules. »

Les lieux dans leur diverse unité contiennent toute la durée et le secret du monde, d'où le désir d'être à la fois ici et ailleurs :

« J'ai peur de tous les endroits nouveaux et de la répugnance pour tous les endroits anciens. Dans ceux que je connais m'attendent la saleté et la laideur, et, dans les endroits inconnus, l'abandon et la confusion, ceux de cette région inconnue et les miens en même temps. J'ai besoin de l'ici. Et c'est vrai : je ne me sens tout à fait chez moi qu'en route, mais alors, il me faut un endroit où je puisse devenir large. »

Les quatre personnages font route ensemble, en chemin de fer, en caravane, à pied, tous et chacun à la recherche du paysage de la réconciliation, du paysage anonyme qui se déploie et s'étend à l'horizon de la rêverie. Tous les paysages traversés, pourtant inventés par l'auteur, sont tous des paysages que chacun a déjà vus, comme s'ils prolongeaient ces fragments de la réalité qui ont par leur « forme » frappé celui qui les a vus. Chaque paysage traversé contient ainsi un « coin » auquel le regard et la mémoire s'attachent particulièrement. Ce sont des « coins » de cette sorte que perpétue *l'Absence.*

Les plaines, les montagnes, les étendues décrites sont toutes ouvertes, elles sont toutes des seuils ; en même temps, le passant y découvre les traces permanentes de la modernité ; ce ne sont jamais des lieux hors du temps. Voir l'espace s'étendre devant soi, être dehors, à l'air libre, c'est cela qui rapproche les êtres humains et les fait vivre ensemble. Citer ici une « description » isolée serait ne pas tenir compte du subtil emboîtement des paysages, de leur superposition ; chacun, en effet, contient le précédent, tout comme un voyage est fait de tous les paysages traversés.

Chacun des personnages de *l'Absence* trouve, à un certain moment de correspondance profonde avec un endroit du paysage, la parole, la manière de parler et de penser qui sont les siennes et qu'il ne trouverait nulle part ailleurs, comme s'il y avait assimilation du « soi » à une « forme » des lieux. En commun ils éprouvent l'attraction du voyage.

Mais pour eux aussi, comme pour le Filip Kobal du *Recommencement,* la découverte du paysage imaginaire : l'AUTRE PAYS dans l'AUTRE TEMPS, se termine par la mésentente, par le retour à la réalité, mais aussi par le retour à un monde où tout le monde est utile et travaille, où seul le marginal, bien qu'il lui soit donné de découvrir le monde, reste inutile et inemployé, où chacun très vite retrouve la menace :

> « L'un a un mouvement de recul devant un gant sur une balustrade, l'autre bondit, couteau brandi, parce qu'il prend ses propres cheveux qui lui pendent dans la figure pour quelqu'un qui veut le surprendre dans le dos. »

Le monde de la réalité est dans une large mesure le monde de l'agression où plane sans cesse la menace de la mise à mort ; c'est l'Autriche natale déjà peinte dans *le Recommencement.* Pourtant, le monde du « conte » y est inscrit et possible. Mais ce qui reste, pour l'instant, c'est de nouveau le monde de l'histoire :

> « Voilà ce que c'est d'avoir voulu se débarrasser de sa propre histoire comme de la grande histoire et d'avoir voulu partir pour le pays de la simple géographie. »

Mais jamais le monde ne fut aussi largement ouvert à tous. Ce sont peut-être ces lignes de la dernière page de *l'Absence* qui à la fois résument toute son œuvre et en donnent la clef :

> « Et un vent se leva, comme venu de nous-mêmes, et qui passait par toutes choses : le vent de la poésie, le vent de l'imagination, le vent de l'arrivée dans une tout autre absence. »

L'écriture de Peter Handke n'a pas fini de se déployer : les voies qu'elle va emprunter restent bien sûr inconnues. C'est pourquoi cette petite étude ne peut en rien se vouloir ou se prétendre complète ; il ne saurait être question de cerner une œuvre en train de se développer, mais du moins est-il possible d'y jeter des sondes ; c'est ce que ces pages ont tenté de faire. C'est sa richesse d'avenir qui fait aussi la valeur et l'importance de ce qu'écrit Peter Handke ; chaque livre contient celui qui va suivre, c'est la durée qu'y sent le lecteur.

« Froid de l'hiver, portails ouverts ; c'est le dernier jour de l'année. Je vois un amour lointain sous une voûte de lumière et, une fois encore, j'aimerais vivre éternellement. »

C'est par ces mots que se termine *l'Histoire du crayon*. L'écriture de Handke s'ouvre à qui la lit, et chaque lecteur y trouvera son enrichissement à lui, y fera ses découvertes qui ne seront que les siennes. L'œuvre de Handke appartient à celui qui la lit. Elle s'étend « de notre expérience la plus quotidiennement banale à une réalité contenue, cachée, mise au clair, en aucune sorte surréelle ou métaphysique, aussi physique que celle du premier regard[56]... »

*Peter Handke au sommet de l'Untersberg,
au-dessus de Salzbourg (été 1984).*

Conclusion

Peut-être n'est-il pas fortuit que l'œuvre de Peter Handke vienne ainsi s'inscrire dans les grands bouleversements de la fin de ce siècle, marquée par l'écroulement des vérités générales et des idéologies. Plus que beaucoup d'autres, elle exprime un malaise fondamental qui rend toute vérité générale, donnée extérieurement, inacceptable. Le langage même, on l'a vu au long de ces pages, ne s'impose jamais à Handke comme une vérité objective, mais, bien au contraire, comme une constante fabrication dont les dispositions et les trouvailles sont inacceptables sans examen préalable.

Ce n'est pas le refus d'accepter le monde tel qu'il est imposé qu'exprime l'œuvre de Handke ; son attitude n'est ni calculée ni délibérée, elle est simplement une « longueur d'onde » qui rend les adhésions impossibles. C'est une clairvoyance exceptionnelle, de nature cartésienne, qui fait de Peter Handke l'un de ces écrivains qui « changent » l'époque où ils vivent. La rigueur et l'acuité d'esprit d'un Descartes ou d'un Spinoza se retrouvent partout dans ce qu'écrit Peter Handke, avec en outre l'intensité poétique cristalline et ample d'un Réné Char, dont Handke a été le traducteur.

Annuler les discours n'est rien ; c'est justement ce à quoi se sont employés tour à tour les grands messages idéologiques et synthétiques de notre temps ; tous reposaient sur ce fameux principe d'identité, selon lequel une chose ne peut être que ce qu'elle est, que la « vérité » ne saurait qu'être une. Le mythe de la réalisation du monde par l'Histoire n'exprimait pas autre chose. Jamais Handke ne remplace le discours des autres par les siens.

Il n'y a pas de discours chez Handke ; à la limite, il n'y a pas même de langage, dans la mesure où celui-ci s'engendre lui-même. Jamais, chez Peter Handke, le langage ne produit du langage, aucun automatisme n'y fonctionne jamais, rien ne s'y trouve emporté par le grand flot des appartenances inconscientes. Tout, au contraire, est à recommencer chaque fois. Toute phrase écrite par Handke est sans précédents, rien ne la guide, il n'y a jamais de recours ou d'appui possibles. A chaque instant, son travail d'écrivain le fait recommencer « de zéro », comme si ce qui va être dit n'avait jamais encore été dit.

Le moindre don de Handke n'est pas, en effet, là, sa capacité à « percer à jour », à traverser les discours pour immédiatement retrouver ce dont ils parlent vraiment.

« Ne dis rien, a-t-il dit un jour, car au milieu de ta phrase tu vas te mettre à penser le contraire. » Si ce qu'écrit Peter Handke a une telle importance pour notre temps, c'est par sa puissance de réconciliation, qui n'est qu'un effet de la précision de son regard, et de la netteté et de la force de sa perception. La réconciliation, celle de Goethe, devient possible dès l'instant où on devient capable d'abolir la muraille des préventions et des préalables devenus à ce point omniprésents et universels qu'ils en sont devenus imperceptibles. Tout l'effort de Handke consiste en effet à traverser les évidences pour en retrouver la vérité masquée par les habitudes et le « par cœur ».

Partout et en toutes occasions, le monde est pour Handke à chaque instant à redécouvrir. Le monde est encore inconnu, rien n'a été découvert, tout est à recommencer, chacun peut à chaque instant être son propre inventeur. En ces temps de sortie de l'histoire, les livres de Peter Handke peuvent être un moyen de redécouverte quotidienne et de transformation du monde plus audacieux et plus radical que bien des théories politiques. Lire Handke, c'est trouver le moyen de ne pas être séparé de soi-même. La réconciliation, c'est cela : réinventer le monde. « Qui a dit que le monde était déjà découvert ? » a écrit Handke un jour. Lorsque Gregor Keuschnig balaie du bras tout ce qui se trouve sur son bureau *, c'est pour tout faire recommencer, puisque tout a déjà eu lieu pour pouvoir avoir lieu encore.

Enfin, et ce n'est peut-être pas le moins important, toute l'œuvre de Peter Handke se dresse à tout instant dans son essence même contre le nazisme et contre ce qui, parmi ses restes, pourrait encore être fécond, autre point de rencontre avec René Char, récusant toute autorité, toute soumission, toute définition des uns par les autres, toute discrimination ; elle est dans son essence même œuvre de liberté.

* Cf. le film *Ville étrangère* (d'après *l'Heure de la sensation vraie*).

Annexes

Peter Handke triant les photographies
destinées au présent ouvrage.

« Nager dans la Sorgue »

1.

Je viens de regarder longtemps trois objets sur ma table :
Œuvres complètes de René Char, Bibliothèque de la
Pléiade ; une série de crayons, blancs, bleus, jaunes, noirs
(les noirs sont mes préférés, des crayons anglais, Derwent
Graphic, mais les crayons d'école me plaisent aussi ; et
aussi un qui est beaucoup plus gros que les autres, pas
rond, mais carré – l'outil d'un charpentier) ; et un bâton
en bois de rose, disposé parallèlement aux flèches des
crayons, un cadeau de René Char, reçu il y a presque trois
ans, à l'Isle-sur-la-Sorgue. Ce bâton, je l'ai devant les yeux
comme *un autre mètre étalon.*

2.

Il y a quatre ans je me suis mis à traduire *le Nu perdu*
de René Char. Au commencement, j'étais simplement un
lecteur. Notre poète autrichien Hugo von Hofmannsthal
a remarqué qu'un lecteur véridique est un des êtres les
plus rares qui existent. Avec René Char je me suis aperçu
que, jusqu'à ce moment, je n'avais pas appris à lire ; j'avais
tendance à dévorer les pages au lieu de ralentir en
contemplant une simple combinaison des mots. « L'oiseau
sous terre chante le deuil sur la terre. » – « Paresseuse-
ment s'effaçait de la corniche du toit la fable d'enfance
de l'hirondelle successive. » – « Seule des autres pierres,
la pierre du torrent a le contour rêveur du visage enfin
rendu. » Lire un auteur de cette façon, c'était déjà
traduire. Alors j'ai osé traduire René Char. En traduisant
j'ai relu les présocratiques, spécialement Héraclite. Jamais
mon travail de traduction ne s'est passé dans la maison,
à ma table : la solution (oui, c'était toujours une solution,
un éclaircissement) m'est venue toujours *dehors,* devant
la maison, et toujours en marchant, surtout en faisant les
cent pas dans le jardin, jamais assis, souvent en m'arrêtant
brusquement et en riant, toujours *en plein soleil.* Oui,
l'aide-traducteur le plus flamboyant pour les oracles, ô si

purs et si lucides, de René Char, c'était le soleil, même le soleil souvent un peu brumeux d'Autriche... Mais ma compréhension la plus complète comme lecteur-traducteur s'est manifestée un jour à Antibes, devant la mer, en respirant les mots de Char comme un *pneuma*. C'était l'endroit où Nicolas de Staël a vécu et où il est mort. « ... Nicolas de Staël, nous laissant entrevoir son bateau imprécis et bleu, repartit pour les mers froides, celles dont il s'était approché, enfant de l'étoile polaire. »

3.
J'ai mis plus d'un an à traduire *le Nu perdu*. Après je fus obligé de poser quelques questions à René Char, surtout à propos de noms de lieux, comme « Buoux », « Thouzon », « Albion ». Je suis resté deux jours à l'Isle-sur-la-Sorgue. Chaque soir j'ai écouté les juke-box dans les cafés. J'ai beaucoup marché. A la fin René Char m'a amené jusqu'à la route devant sa demeure ; là, sur les broussailles, il y avait une petite plume, déposée par un inconnu, pour René Char, et je me souviens comment celui-ci a dit, en accueillant la plume : « Ce sont mes visiteurs préférés ! » Une nuit il y eut un orage, et avant que la pluie ne commençât de tomber, j'ai nagé dans la rivière, tandis que devant mes yeux les gigantesques roues de bois tournaient sans cesse ; les éclairs illuminaient les platanes de la ville, et l'on voyait comme jamais les formes des feuilles, nées des éclairs. Notre grand écrivain autrichien Franz Grill-parzer a rendu visite à Goethe en 1826 ; quand ce dernier prit Grillparzer par la main, il se mit à pleurer ; et quatre-vingt-dix ans plus tard Franz Kafka est venu à Weimar où il a caressé en pleine nuit les briques de la maison de Goethe... Avoir voulu nager dans la Sorgue en août 1983 venait peut-être d'une semblable impulsion. – Un jour j'ai noté dans mon cahier : « Seul de tous les grands, Goethe me communique cette émouvante sensation de fraternité – les autres sont, ou des pères, ou des enfants... »
    « Nous marcherons, nous marcherons, nous exerçant encore à une borne injustifiable à distance heureuse de nous. Nos traces prennent langue. »

Peter Handke,
Salzbourg, 24 mai 1986.

Texte écrit en français et publié dans la revue Europe, *n° 705-706, numéro spécial « René Char », janv.-fév. 1988.*

« Une autre manière de parler de l'Autriche »

Le soir du 27 février 1985, vers minuit, je me trouvais place de l'Université, à Salzbourg, devant une cabine télé-phonique, sur le point d'y pénétrer. A quelque distance de moi, une voiture, dont le moteur tournait et que sa conductrice avait quittée quelques instants durant pour se rendre à l'un des stands de la place.

Je n'étais pas dans la voiture, je ne possède pas de permis, je ne sais pas conduire.

A cet instant arriva une voiture de police. Un policier en descendit et m'intima l'ordre, sans même se renseigner pour savoir si j'avais un rapport avec cette voiture, d'arrêter le moteur immédiatement.

On connaît ce joli proverbe du ton qui donne la musique. Or le ton de ce policier, qui, de façon aussi aveugle qu'obsessionnelle, supposait que du seul fait que je me trouvais à proximité de la voiture j'en étais aussi responsable, ne m'alla pas au cœur, mais me monta à la tête.

Je lui dis de bien vouloir me parler sur un autre ton. Là-dessus, on connaît ça : « La ramène pas, tes papiers. »

Le « tu » n'est pas toujours l'expression de la fraternité. Le collègue du policier m'avait pendant ce temps pour ainsi dire reconnu et lui dit : « Eh, dis donc, c'est... »

Je ne montrai pas mes papiers.

Un mot donna l'autre, comme on dit.

Les deux policiers se tenaient si près de moi qu'une conversation calme était devenue impossible ; on ne peut parler avec le blanc des yeux de quelqu'un. Tête baissée – il fallait bien que je regarde quelque part – je ne voyais que deux paires de bottes, deux objets monstrueux. Il existe une proximité humaine et une proximité inhumaine, d'une arrogance sans mesure et qui ignore tout sens des distances à garder. Je suis un homme vulnérable, ce dont je n'ai nullement honte ; je souhaite que tout le monde soit pareillement vulnérable : aussi ressentis-je la proximité de ces bottes conjuguée au blanc des yeux, et surtout étant donné le caractère injustifié de cette façon de me faire engueuler, comme l'image même de tout ce qui représente à mes yeux mépris des êtres humains, enfer et absence d'âme, et j'eus alors ce mot : « Avec vos bottes, vous avez tout l'air de nazis ! » Qu'on le remarque bien, je n'ai pas dit : « Vous êtes des flics nazis », mais : « Vous avez l'air de nazis », et je n'ai pas utilisé cela comme une adresse directe, mais comme une comparaison.

Là-dessus, je fus arrêté et conduit au poste. L'atmosphère n'y était pas précisément celle du triomphe : je remarquai chez ces policiers, dont le nombre grossissait à vue d'œil, un mélange de peur et de haine ; la peur d'avoir affaire à un « notable », à une « célébrité » et de ne pas pouvoir lui en faire voir comme à tout un chacun.

La peur qu'ils avaient de moi – ou plutôt de mon nom – ne faisait qu'augmenter la haine, et la haine se trouva encore accrue du fait de l'impossibilité de me passer à tabac, à l'instant même. Telle était l'atmosphère au poste, et cela se sentait.

Agressé, je ne le fus vraiment qu'une seule fois, lorsque je refusai de m'asseoir et qu'un gardien de l'ordre, tout bronzé, retour des sports d'hiver, voulut me contraindre à m'asseoir sur une chaise, évidemment pas pour que je sois à mon aise.

Mes papiers, je ne les montrai toujours pas ; car tous ceux qui étaient présents savaient quel criminel ils avaient là devant eux, qui s'était permis de se trouver en pleine nuit sur une place déserte.

Finalement, un fonctionnaire eut pitié et il tira mes papiers, de sa propre main, de ma poche intérieure.

Toute l'affaire est en soi de peu d'importance ; moi et d'autres citoyens de ce pays avons eu à subir bien pire du fait de notre police. Pour ma part, je ne perdrai jamais de vue que plus d'une fois, après un incident de cette sorte, je suis rentré chez moi en pleurant, non par sensiblerie, mais de colère, de tristesse et de désespoir devant la bassesse et le mépris des êtres humains des autorités (le journaliste Georg Nowotny a écrit, l'an dernier, de façon exemplaire sur ce problème « police-citoyen »).

Pendant la nuit en question, toute cette histoire me parut à ce point grotesque, sur le chemin du retour déjà, que cela me fit rire. Le moindre contour d'oiseau dans les buissons me paraissait plus réel que cet incident. Je pensai même : cela peut arriver à tout le monde, je m'en suis même bien tiré parce que suis « untel ».

En même temps, il est vrai, cette pensée : quand vie privée et affaires publiques se mettent à s'imbriquer, il en naît des paraboles ou des symboles pour notre vie à tous.

L'incident ne devint une affaire, je le répète, que par la peur que la police avait et du fait de l'avidité de sensationnel des médias : pour ma part, je voulais garder le silence.

Et maintenant, je vais dire ce qui importe vraiment. La journaliste de la télévision m'a demandé ce que je pensais des propos émis sur le film *Salò*, de Pasolini, par le préfet de police de Salzbourg, par ce chef de la police qui, dans sa jeunesse, avait appartenu à la SS et qui, maintenant, sans remords, sans pensées, sans sentiments et avec un aplomb d'habitué du café du Commerce se permet de se répandre contre l'un des grands artistes de ce siècle, un artiste qui avec des films comme *Accatone, Mamma Roma* ou *l'Évangile selon saint Matthieu*, avec ses poèmes et ses pièces de théâtre, a contribué à édifier les messages de peine et de joie de ce siècle, comme il sied à un artiste ; voici donc cet artiste villipendé par un aide-bourreau alpin, qui, ici, dans mon, dans notre État, a le droit d'occuper charges et honneurs, et qui ne mérite aucune charge, sans parler des honneurs.

J'ai dit mon indignation de voir exister de telles figures au sein de notre État, ainsi que ma rage de devoir subventionner par mes impôts les bavardages de café du Commerce de canailles pareilles : qu'on le remarque bien, je n'ai pas dit : « Les vieux et chers retraités qui ont bien servi la démocratie autrichienne », je n'ai parlé que d'individus comme celui-là.

Puis j'en vins à parler des relations de cet État, la IIe République, avec l'art.

Beaucoup d'ouvriers, beaucoup d'artisans, beaucoup de petits paysans, telle ou telle infirmière, ce médecin-ci ou celui-là, même s'ils ne lisent pas, même s'ils ne contemplent pas de peintures n'en devinent pas moins ce qu'est un artiste ou ce qu'il devrait être.

Mais je ne connais aucun autre pays d'Europe où l'accroissement du nombre de professions inutiles, insatisfaisantes et dépourvues de tout érotisme a fait devenir la petite-bourgeoisie assez insolente pour se permettre de juger de tout et de n'estimer rien.

Comme dans nul autre pays de la terre, le mot « artiste » peut aussi, dans ce pays, servir d'injure.

Je souhaite, lui ai-je dit, que les jeunes policiers, dans cette école où ils apprennent sûrement quelque chose, aillent aussi, un jour, voir un Rembrandt – à Salzbourg, aussi, il y a un Rembrandt qu'on peut contempler –, qu'ils s'enthousiasment pour un poème de Goethe ou se querellent à son sujet, ce qui souvent revient au même.

J'aimerais voir un jour un jeune policier devant un tableau de Raphaël ou avec un livre d'Adalbert Stifter à la main. Cela donnerait enfin une expression à tous ces visages sans visage, cela mettrait une lueur dans leurs yeux et nous serions enfin homme et homme, citoyen et citoyen.

J'ai dit aussi qu'il était étonnant et effrayant de voir tant de jeunes policiers à ce point avachis, et amollis, et stéréotypés, à la différence de n'importe quel charpentier, électricien ou préposé des postes. Ils se sont fait des biceps, c'est sûr ; leur visage, cependant, est un visage de nourrisson, sans caractère, auquel de plus manque le regard d'âme qu'ont les nourrissons, bref ce sont des visages informes. Pour la plupart de ces jeunes gens, j'ai volontairement utilisé une expression dévalorisée : ils sont abâtardis.

J'ai aussi, au cours de ma vie, rencontré des policiers d'un certain âge pour lesquels j'ai ressenti de l'estime. Ils ont appris par expérience à quel point chaque être humain est divers, étrange et pitoyable, même celui qu'on est convenu d'appeler un criminel.

Pourquoi, diable, faut-il l'expérience du vieillissement pour que quelqu'un se mette à respecter quelqu'un d'autre ? Policiers, sortez du groupe, de la meute, de la horde ; soyez aussi seuls que nous, pensez aux autres, et ne fût-ce que d'un regard.

L'excuse utilisée pour l'époque nazie, à savoir que, quand on est jeune, on ne sait pas et qu'on est facile à manipuler, je ne veux plus l'entendre. A l'âge de cinq ans un enfant sait ce qui est juste et ce qui est injuste. Finissons-en avec l'excuse de la jeunesse comme époque où on serait facilement manipulable. Aucun être humain n'est ingénu ou manipulable. Il est *responsable* aussitôt qu'il ouvre les yeux et prononce ses premières phrases.

Et maintenant, laissons les policiers de côté et venons à la question qui importe. Qu'en est-il de la dignité d'un citoyen de ce pays ? Quels sont ses rapports avec son pays ? Avec l'État ? Quel est son lieu ? Car sans lieu, pas de conscience de soi.

C'est un fait : à la place d'hommes d'État, nous n'avons que des avortons d'hommes d'État, et, par suite, nous ne sommes pas un peuple, mais une population.

Un chancelier fédéral qui se donne pour un ami des artistes dit, dans la même phrase, que lui, homme politique, il trime et s'esquinte, alors que les écrivains, eux, « se retirent dans leur idylle pour écrire un roman ». Donc, à l'en croire, Kafka s'est retiré dans l'idylle pour écrire *le Procès* et Camus s'est retiré dans l'idylle pour écrire *l'Étranger,* et, moi, je me suis retiré dans l'idylle pour écrire *le Malheur indifférent.*

Cette phrase de l'homme politique Sinowatz, un chancelier de la IIe République, est digne d'être recueillie parmi les phrases les plus stupides prononcées depuis la nuit des temps par des hommes avec une langue dans la gueule.

Presque du même calibre, l'excuse du ministre de la Défense de la même République selon laquelle il n'avait pas « offert un déjeuner » au misérable et pitoyable Reder *, mais qu'il l'avait seulement « nourri » en tant que ministre, c'est-à-dire comme serviteur de la République – un grand moment, en tout cas, dans la liste éternelle et malfaisante de la bêtise.

Mais nous n'allons pas, du fait de petits hommes d'État de cette sorte, détenteurs du pouvoir et ennemis de l'esprit, nous laisser détourner de l'amour pour ce pays, l'Autriche, c'est-à-dire de l'amour pour tous ces isolés qui vivent sans se croire contraints de former des groupes, sans se rassembler par meutes et sans se croire obligés de faire des plaisanteries obscènes ou de se laisser aller à la sensiblerie.

Car ici, en Autriche, oui, notre pays, nous avons ouvert les yeux sur les forêts et l'eau, et nous avons dressé l'oreille pour entendre le vent, la neige, les chansons, les poèmes de la langue.

Pour la dernière fois, j'en reviens ici à ma personne privée : pour ce qu'on nomme les autorités dans la mesure où elles ne savent pas pourquoi elles sont là et ne connaissent ni leur mesure ni leur devoir, c'est-à-dire le service du peuple, je resterai toujours ce qu'on appelle un « récalcitrant », oui, même un insurgé.

Je suis sûr que même à l'âge de quatre-vingts ans – si je devais atteindre cet âge – reviendra cet instant où un quelconque représentant de l'administration va me semoncer, et il se pourrait alors qu'on puisse lire : « Le vieil écrivain autrichien P.H. a été arrêté pour la vingt-troisième fois pour rébellion contre l'autorité de l'État. »

Déjà, quelques jours après ce petit incident salzbourgeois, au retour d'une représentation de *Par les villages* en Italie, à la frontière autrichienne, un douanier de Carinthie (ce n'est donc pas une spécialité salzbourgeoise) s'adressa à moi en ces termes quand, à son avis, je répondis à voix trop basse à l'une de ses questions : « Plus fort ! Vous parlez aux autorités. »

---

* Reder : criminel de guerre nazi, libéré d'une prison italienne en 1984 et accueilli solennellement à la frontière par le ministre de la Défense autrichien *(NdT).*

Le sang me monta à la tête aussitôt. Malheureusement, je me suis dominé. Ne te domine pas, citoyen ! Ne te tais pas !

Voilà à peu près ce que j'ai dit à la télévision, mais modifié, complété, allongé. Et pourtant, à le redire, s'installe le regret de ne donner qu'un sujet de lecture. Il me semble bien plus profitable de lire plutôt l'un ou l'autre de mes livres, ou quelque chose de Georges Simenon, ou le talmud juif, ou la bible judéo-chrétienne, ou...

C'est là en tant que lecteur et non comme dévoreur de nouvelles et d'opinions que je peux enfin devenir le « contemporain de moi-même » (Rainer Maria Rilke).

Peter Handke, *Profil*, n° 13, 25 mars 1985
(traduction inédite de G.-A. Goldschmidt).

« Pourquoi je quitte l'Autriche... »

[...]

Avant l'élection de Kurt Waldheim, je me suis imaginé que je pourrais peut-être changer un peu l'opinion publique. J'étais tellement stupide de penser ça. Je me sentais poussé à écrire quelque chose. Je me disais que si j'étais passionné et exact à la fois – passionné comme un poète et exact comme un journaliste –, je pourrais peut-être persuader quelques habitants de l'Autriche d'ouvrir leurs yeux sur ce type macabre. C'était une vision féerique. J'ai écrit un article, que j'ai donné à une revue. J'ai reçu surtout des insultes extrêmes *.

Il ne faut pas laisser tomber l'antisémitisme, qui est très virulent en Autriche. Mais comment agir contre ? Si on montre que quelqu'un est antisémite, ça devient encore pire. Mais en même temps on ne peut pas se taire. Alors, c'est un dilemme absolu. Il faut agir, mais de quelle manière ? On ne sait pas. Parfois je me suis dit que ce serait bien s'il existait un chanteur très doux et en même temps très sauvage, qui pourrait chanter des chansons un peu comme Jacques Brel. Un poète-chanteur, avec une voix profonde, et les gens seraient intouchables par l'opinion, par la haine. Ça n'existe pas, un chanteur comme ça. Mais dans le rêve, ça peut toujours exister. Les poètes, nous ne sommes pas assez forts. Ce n'est pas à cause de nous, mais de l'espace que nous avons.

Quand on voit à la télévision quelqu'un qui chante, le lendemain, si on le rencontre dans la rue, on sait quand même qu'il a chanté. Mais si on rencontre un écrivain qu'on a vu à la télévision, on se dit : écrivain, c'est bizarre, c'est quoi ? On dit que les écrivains sont connus comme des chiens colorés : on les reconnaît, mais ce n'est pas pour cela qu'on sait ce qu'ils font.

---

* Sur Waldheim, voir le texte de Peter Handke en annexe au livre de Bernard Cohen et Luc Rosenzweig, *le Mystère Waldheim*, Paris, Gallimard, 1986.

[....]

En principe, je n'aime pas voyager, pas tellement. J'aime bien prendre le bus ou le train, et rentrer le soir chez moi, vers minuit, boire un verre dans l'obscurité, et me coucher. C'est ça, mon idéal. Si j'entreprends un voyage, c'est seulement pour remplir un devoir. Je voudrais voir quelques statues, quelques visages, quelques..., sentir un autre vent, voir d'autres couleurs ou ne rien voir, mais ce rien doit être très précis. Le but que j'ai en ce moment est une sorte de cristallisation intérieure. J'aimerais aller sur les lieux où ont vécu les poètes de notre terre. Ces lieux sont les seuls qui m'intéressent vraiment, qui m'attirent. On ne sait pas toujours très bien où étaient ces poètes, comme Parménide ou Héraclite. Il n'y a pas de pierre ou de fontaine avec des inscriptions, pas d'endroits qu'on montre pour le souvenir. Mais on peut respirer un peu l'air où ils ont vécu, voir un peu le ciel, je ne sais pas, les arbres, les rochers. Quand je suis allé à Aix-en-Provence, je n'étais pas tellement curieux de voir la maison de Cézanne, ni même son atelier. Ça ne m'a pas vraiment touché, mais les couleurs, les rochers, les fleurs, les arbres, oui. Et puis, comme je suis très attaché aux philosophes présocratiques, j'aimerais bien voir les endroits où on peut s'imaginer les premières pensées des gens d'Europe, disons les premières pensées-images.

[...]

Quand j'étais en France, il y a quelques années, j'ai vu quelques rivières françaises, la Somme, la Loire de l'origine, le Gard. J'ai nagé dans tous ces fleuves, et je me disais : si je pouvais vivre l'âge d'Abraham, je pourrais conquérir tous les fleuves de la France, ce serait déjà une vie. Les fleuves de France, je les trouve simplement beaux. Ceux d'Autriche sont raisonnables, mais ils sont tous réglementés. La Salzach était très belle, il y a quatre-vingts ans. Mais on a fait des travaux. Les fleuves d'Autriche ne me donnent pas envie de les conquérir, à la manière d'un écrivain, avec les yeux. Les fleuves de France, oui. Partout, on y trouve des points du départ, des endroits d'où on peut partir pour conquérir, décrire, contourner par l'écriture. Et moi, j'ai de plus en plus envie de ça. Chaque fois que je laisse passer un endroit, pendant un trajet, j'ai mauvaise conscience de ne pas être resté des heures et des heures pour qu'il puisse entrer en moi, et moi en lui. Ça m'arrive seulement en Europe.

[...]

Le seul pays – c'est bizarre d'employer le mot pays pour un continent – que je voudrais conquérir, que je me sens un peu appelé à conquérir, c'est l'Europe. Il y a tellement d'endroits en Europe pour lesquels j'ai vraiment un amour profond. Quelquefois, si quelqu'un me parle d'une manière enthousiaste d'une ville, ou d'un fleuve en Europe que je ne connais pas, je me sens coupable de ne pas aller tout de suite voir ce « spectacle », comme on dit. Au lieu d'aller en Afrique ou en Asie, je sais profondément que je dois voir en Europe tout ce que je peux voir. Le Japon et la Chine et..., ça me rend un peu timide. Je suis persuadé que les problèmes de la poésie, de la langue, de l'œil sont les mêmes partout. J'ai lu beaucoup les poètes chinois et les japonais : il n'y a pas de différence entre ces êtres et moi, pas du tout. C'est un grand plaisir de pouvoir seulement trouver les liens. Mais en ce qui concerne l'Europe, je me sens vraiment le devoir de contourner chaque petit objet.

[...]

L'Europe pour moi va jusqu'à la mer Morte. Et peut-être encore plus loin, jusqu'aux fleuves qui, comme il est dit dans la Bible, coulent hors du paradis. Et de l'autre côté, l'Europe va partout vers l'ouest jusqu'aux caps qui s'appellent Finisterre, Land's End en anglais. Et elle se termine par l'Atlantique. Mais ce qui, pour moi, est le lieu temporel, historique et géographique de l'Europe, c'est un peu cette époque du XIIᵉ siècle où s'est développé cet art qu'on appelle l'art roman. Alors, quand je peux, je suis les traces de cette époque-là, depuis quelques années seulement, partout en Europe. Comment dire ? Je ne sais pas trop parler de tout ça, parce que c'est trop profond. Et en plus je ne veux pas trop en parler. C'est vraiment un désir érotique absolu chez moi, dans ma vie, de contourner chaque endroit où il y a ces bâtiments, ces chapiteaux, ces sculptures, ces pierres, ce rythme aussi. Vraiment, personne ne peut me détourner de cette Europe-là... C'est peut-être une sorte de répétition, parce que, je ne sais pas pourquoi, je sens que cette époque est comme dans mon enfance, dans la religion, dans les églises, dans la poussière des champs, dans les couleurs. Après les machines sont arrivées, et, pour moi, c'est un peu comme si l'époque gothique, avec ses pointes, avait commencé. Ça m'intéresse beaucoup de retrouver ça, ce changement de période de l'histoire, de regarder, de... Mais j'ai trop parlé de ça.

[...]

Vous ne voulez pas un verre de vin ? On peut devenir fou si on ne boit que de l'eau.

[...]

Le prix Nobel, je trouve dommage qu'on ne l'ait pas donné à quelqu'un comme René Char. C'est tellement initiatique, ce qu'il écrit. Une phrase de lui peut créer peut-être cent écrivains. Ce prix Nobel a perdu de son importance, malheureusement. C'est bien que les êtres qui aiment quelque chose fassent un petit fleuve de cet amour. Le prix, ça peut être comme ça, parfois. Mais, cette année, j'ai été vraiment déçu, Francis Ponge aussi aurait pu l'avoir. Sa poésie est une poésie qui ne peut pas s'abîmer. Elle est là comme une inscription latine, mais sans le geste impérial, infantile, des inscriptions latines...

On dit que ça n'existe plus, les grands écrivains. Mais ça existe vraiment, surtout chez vous en France.

[...]

Camus a dit que maintenant, dans notre siècle, l'homme est devenu un être géographique, parce qu'il n'a plus d'histoire. Pour moi, c'est un soulagement, ce n'est pas une rédemption.

[...]

Plus l'heure du départ approche, plus on se dit : pourquoi je ne reste pas chez moi. La chose ironique, c'est qu'on a déjà trop dit qu'on va partir, on l'a dit aux amis, au marchand de légumes, au boucher, alors il faut partir. Ça m'est souvent arrivé dans ma vie. Avant d'aller en Alaska, j'en avais parlé, puis je ne voulais plus partir, je n'avais plus envie du tout, mais j'étais obligé de le faire. Je suis allé en Alaska, et c'était bien. A la fin, surtout. C'est toujours bien de partir. Pas voyager, mais partir. Mais, pour quitter une histoire, il faut toujours franchir un seuil fou.

[...]

Au printemps prochain j'écrirai une pièce en Sicile. Il faut absolument que je trouve une chambre, un café avec un juke-box, des rues, des gens qui crient – ça me plaît –, des voitures, du vin après le travail. Ça me suffit largement. Et du bruit, beaucoup de bruit. Quand j'ai travaillé à New York pour le *Lent Retour,* j'étais dans une tour, au vingt-quatrième étage. Je voyais Central Park et l'État du New Jersey, l'East River et l'Hudson River. Mais c'était tellement calme que, au bout de trois mois, je suis devenu presque fou. Quand je suis rentré en Europe, je suis allé en Espagne terminer le livre. A Madrid, à l'hôtel, comme ils étaient très gentils, ils m'ont proposé une chambre tranquille sur la cour. Mais je ne pouvais pas supporter cette chambre, j'en voulais une sur la rue. Le concierge était étonné, il riait parce que je voulais la chambre la plus bruyante de l'hôtel. Je l'ai eue et c'était bien. C'était comme un soulagement.

[...]

Un café avec un verre de vin, avec une vue sur la rue et avec un juke-box, ça me suffit. Non, ça ne me suffit pas du tout, mais quand même, malheureusement, ça me suffit parfois. Je me dis souvent : pourquoi ça te suffit ? Tu dois te mêler, tu dois rencontrer les gens, tu dois écouter le récit de l'autre.

[...]

Il arrive souvent qu'un inconnu s'approche de moi et me dise : il faut que vous continuiez. Et moi je dis : oui, merci. Et après, quand l'inconnu est parti, je me dis toujours : pourquoi je ne lui ai pas demandé ce qu'il veut dire ? Je remets toujours le moment de poser cette question. Moi aussi, je me pose la question, pas comme écrivain, mais comme lecteur. Je sens que la poésie est la chose la plus légère, la plus grandiose et la plus nécessaire, la plus publique qui reste. Et en frère-lecteur, j'aimerais demander à l'autre : pourquoi vous sentez ça ?

[...]

Quand je serai vieux, j'aimerais bien écrire un essai sur la fatigue, les diverses fatigues. Les fatigues sublimes, gracieuses, les fatigues mortelles. Il y a une fatigue qui est comme le comble de la vie : c'est la chose la plus éveillée qui puisse arriver, la plus sensuelle aussi. Quelquefois, quand je suis fatigué, je peux m'imaginer que je pourrais toucher toutes les femmes dans la rue, et les enfants et les vieillards aussi. Je pourrais mettre ma main sur la tête d'un enfant, et je sais qu'il sourirait comme si c'était normal, ou mettre ma main sur le sein d'une femme, et que ça serait gracieux, naturel, comme l'air.

Je voudrais aussi écrire un essai sur ce qu'on peut dire de l'amour physique, sur ce qu'une femme peut en dire. Pas de la façon dont Marguerite Duras le fait : elle en parle d'une manière, disons menaçante. J'aimerais bien qu'une femme parle des images qu'elle a quand elle est avec un homme. Oui, j'aimerais bien écrire un essai vraiment pornographique, et normal, et pur. Et un aussi sur les juke-box. D'abord sur la pornographie, et après sur les juke-box, parce qu'après, comme toujours, ça recommence avec le juke-box.

Propos recueillis par Brigitte Salino
in *l'Événement du jeudi*, 17-23 décembre 1987.

Une mise en scène du Malheur indifférent *et d'*Histoire d'enfant *par Jeanne Champagne, avec Jean-Marc Bory.*

Notes

1. Sur le problème de l'engagement, voir les textes réunis dans *Ich bin ein Bewohner des Elfenbeinturms (Je suis un habitant de la tour d'ivoire),* Suhrkamp Taschenbuch, st 56 (ces textes n'ont pas été traduits à ce jour).

2. Dans *Als das Wünschen noch geholfen hat (Lorsque faire des vœux servait encore à quelque chose),* Suhrkamp Taschenbuch, st 208, non traduit à ce jour.

3. Dans *Ich bin..., op. cit.,* voir le texte ayant ce titre, traduit dans *Oracl,* n° 21.

4. Peter Handke s'est lui-même expliqué à ce sujet dans un texte intitulé *A propos de la session du Groupe 47 aux États-Unis,* dans *Ich bin, op. cit. ;* voir aussi dans la monographie collective sur Peter Handke, Suhrkamp, st 2004, l'essai de Hans Widrich.

5. Cf. la traduction de Gabrielle Wittkop-Ménardeau.

6. Dans *Ich bin..., op. cit.,* p. 29.

7. Texte repris dans la monographie Suhrkamp sur Peter Handke, *op. cit.,* p. 36-37.

8. Lettre du 15 octobre 1979 à l'auteur.

9. Dans *Le Non-sens et le Bonheur,* Paris, Ch. Bourgois, « Les nouvelles expériences », p. 18-19.

10. *Ibid., Ich bin..., op. cit.,* p. 27.

11. *Ich bin..., op. cit.,* p. 43.

12. Spinoza, *Traité des autorités théologique et politique, Œuvres complètes,* Paris, Gallimard, coll. « Bibl. de la Pléiade », p. 844.

13. Né vers 1810, il était probablement le fils de Charles de Bade et de Stéphanie de Beauharnais. Jusqu'à l'âge de vingt ans, il fut maintenu dans un isolement absolu, probablement dans une tour, coupé de toute relation avec le monde extérieur. Il fut assassiné pour des raisons dynastiques.

14. « Celui qu'un autre a déjà été » insiste peut-être un peu trop sur l'identité et pas assez sur la substitution des identités ; de plus, *celui* aurait été *derjenige* en allemand.

15. Cf. Georges-Arthur Goldschmidt, *Molière ou la liberté mise à nu,* Paris, Julliard, 1973.

16. Gaspard est cité dans la traduction de Jean Sigrid, éd. de l'Arche (sur *Gaspard,* voir l'article d'Erika Tunner dans le n° Handke d'*Oracl* (cf. Bibliographie).

17. Dans *Text und Kritik,* cahier Handke, 24/24 a, Munich, 1976, p. 72.

18. *Chronique des événements courants,* Paris, Ch. Bourgois, séquence n° 2.

19. Traduction de Marie-Louise Audiberti d'après laquelle la pièce est citée, ici, p. 13, Éd. de l'Arche.

20. *A propos de « La Chevauchée sur le lac de Constance »,* Paris, Ch. Bourgois, 1974.

21. Witold Gombrowicz, *Journal,* 1957-1960, Maurice Nadeau, les Lettres nouvelles.

22. Pierre-Yves Petillon, *L'Europe aux anciens parapets,* Paris, Éd. du Seuil, coll. « Fiction & Cie », 1987.

23. Henri Bergson, *L'Évolution créatrice,* Éd. du Centenaire, PUF, p. 575.

24. Il s'agit de l'espace spinozien et non de l'espace cartésien ; cf. la contribution d'Olaf Hansen dans la monographie collective Suhrkamp, *op. cit.,* p. 209.

25. *Les Souffrances du jeune Werther,* Livre de Poche, n° 412, introduction par G.-A. Goldschmidt, p. XXVI.

26. Henri Bergson, *La Pensée et le Mouvant, ibid.,* p. 1312.

27. Henri Bergson, *L'Évolution créatrice, op. cit.,* p. 664.

28. Henri Bergson, *ibid.,* p. 496.

29. Pierre Kaufmann, *L'Expérience émotionnelle de l'espace,* Paris, Vrin, 1967, p. 24.

30. Karl Philipp Moritz, *Anton Reiser,* trad. par Georges Pauline, Paris, Fayard. L'un des romans les plus émouvants qu'on puisse lire sur l'édification d'une personnalité humaine.

31. *La Courte Lettre pour un long adieu,* p. 81.

32. Peter Handke, « Über die Einsamkeit » (« A propos de la solitude »), *Der Spiegel,* n° 28, 1978.

33. Henri Bergson, *L'Évolution créatrice, op. cit.,* p. 498.

34. Adalbert Stifter, *L'Homme sans postérité,* Paris, Phébus, 1978.

35. Peter Handke, *Espaces intermédiaires,* conversations avec W. Gamper, Paris, Ch. Bourgois.

36. Peter Handke, *Images du recommencement,* Paris, Ch. Bourgois, p. 20.

37. Henri Bergson, *Matière et Mémoire, ibid.,* p. 343.

38. *Le Chinois de la douleur,* p. 12.

39. *Anton Reiser, op. cit.,* p. 32.

40. Henri Bergson, *L'Énergie spirituelle, ibid.,* p. 827.

41. *Der Spiegel,* n° 28, 1978.

42. Caroline Neubaur, « Das neue Heilige und sein Objekt » (« Les nouvelles entités saintes et leurs objets »), *Merkur*, n° 456, février 1987.

43. Texte du Programme de *La Femme gauchère*, édité par Filmverlag der Autoren. *La Femme gauchère* a connu au moins deux éditions successives revues par l'auteur. Les traductions des livres de Handke sont toujours établies d'après les premières éditions, ce qui, pour *La Femme gauchère* en particulier, peut expliquer quelques petites différences, par exemple, au début.

44. Emmanuel Levinas, *Totalité et Infini*, Martinus Nyhoff, p. 172.

45. Bertrand Poirot-Delpech, *Le Monde*, 5 mars 1982.

46. Sur *Lent Retour*, lire Daniel Oster, dans *Passages de Zénon*, Paris, Éd. du Seuil, 1983, et Jean Mambrino, dans *Études*, juin 1982.

47. Voir dans *L'Histoire du crayon* ce que Handke dit de *La Leçon de la Sainte-Victoire*, ainsi que dans *Espaces intermédiaires, op. cit.*

48. Marianne R. Bourges, *Cézanne en son atelier*, Éd. de la ville d'Aix-en-Provence.

49. Denis Roche, « Peter Handke au sommet », *Le Matin*, 2 avril 1985.

50. Dans *Der Spiegel*, « Die privaten Weltkriege der Patricia Highsmith », n° 3, 1975.

51. Nicole Casanova, *Mes Allemagnes*, Paris, Hachette, 1987, p. 220.

52. Cf. *Espaces intermédiaires, op. cit.*

53. Armando Llamas, *Autour de « Par les villages »*, Les Ateliers contemporains, 1983.

54. Voir le texte en annexe.

55. Voir note 25.

56. Claude Mauriac, *L'Oncle Marcel*, Paris, Grasset, 1987, p. 471.

Merci à Denis Roche pour la phrase prêtée p. 102.

Ce dessin de l'un des carnets illustrera
l'édition en langue allemande de l'Absence.

Bibliographie

Le lecteur trouvera en particulier ci-dessous les références des textes cités.
Les dates en caractères gras sont celles des premières publications.
Sauf indications, toutes les traductions sont de Georges-Arthur Goldschmidt.
Quelques titres allemands non traduits ne sont pas mentionnés.

1964-1965
Pièces parlées *(Sprechstücke).*
Outrage au public et autres pièces parlées (Prédiction, Introspection, Appel au secours), Paris, l'Arche, coll. « Scène ouverte », 1968, trad. fr. par Jean Sigrid *(Publikumsbeschimpfung,* 1965, *Weissagung,* 1964 ; *Selbstbezichtigung,* 1965, Suhrkamp Taschenbuch 177).

1966
Les Frelons, Paris, Gallimard, 1983, trad. fr. par Marc B. de Launay *(Die Hornissen,* Suhrkamp Taschenbuch 416).

1967
Bienvenue au conseil d'administration, Paris, Bourgois, 1980, préface par Georges-Arthur Goldschmidt *(Begrüssung des Aufsichtsrats,* Residenz Verlag, 1967).
Le Colporteur, Paris, Gallimard, 1969, trad. fr. par Gabrielle Wittkop-Ménardeau *(Der Hausierer,* Suhrkamp Verlag, 1967).
Gaspard, Paris, L'Arche, coll. « Scène ouverte », 1971, trad. fr. par Thierry Garrel et Vania Vilers *(Kaspar,* Suhrkamp Verlag, 1967).

1969
Le pupille veut devenir tuteur, Paris, L'Arche, coll. « Scène ouverte », 1985, trad. fr. par Philippe Adrien et Heinz Schwartzinger *(Das Mündel will Vormund sein,* Suhrkamp Taschenbuch 101).

*Ich bin ein Bewohner des Elfenbeinturms (Je suis un
habitant de la tour d'ivoire),* Suhrkamp Taschenbuch
56).

1970

L'Angoisse du gardien de but au moment du penalty, Paris,
Gallimard, coll. « Folio », n° 1407, 1982, trad. fr. par
Anne Gaudu (*Die Angst des Tormanns beim Elfmeter,*
Suhrkamp Taschenbuch 27).

La Chevauchée sur le lac de Constance, Paris, L'Arche, coll.
« Scène ouverte », 1974, trad. fr. par Marie-Louise
Audiberti (*Der Ritt über den Bodensee,* Suhrkamp
Taschenbuch 101).

Chronique des événements courants, Paris, Bourgois, 1984
(*Chronik der laufenden Ereignisse,* Suhrkamp Taschenbuch 3).

1972

La Courte Lettre pour un long adieu, Paris, Gallimard,
1976 (*Der kurze Brief zum langen Abschied,* Suhrkamp
Taschenbuch 172).

Le Malheur indifférent, Paris, Gallimard, coll. « Folio »,
n° 976, 1979, trad. fr. par Anne Gaudu (*Wunschloses
Unglück,* Suhrkamp Taschenbuch 172).

1973

Les gens déraisonnables sont en voie de disparition, Paris,
L'Arche, coll. « Scène ouverte », 1978 (*Die Unvernünfti-
gen sterben aus,* Suhrkamp Taschenbuch 168).

1975

Faux Mouvement, Paris, Bourgois, 1987 (*Falsche Bewegung,* Suhrkamp Taschenbuch 258).

L'Heure de la sensation vraie, Paris, Gallimard, coll.
« Folio », 1988 (*Die Stunde der wahren Empfindung,*
Suhrkamp Taschenbuch 452).

Le Non-sens et le Bonheur, Paris, Bourgois, 1983.

1976

La Femme gauchère, Paris, Gallimard, coll. « Folio »,
n° 1192, 1980 (*Die linkshändige Frau,* Suhrkamp Taschenbuch 560).

1977

Le Poids du monde, Paris, Gallimard, 1980 (*Das Gewicht
der Welt, Ein Journal (November 1975-März 1977),*
Residenz Verlag, 1977).

1979

Lent Retour, Paris, Gallimard, 1982 (*Langsame Heimkehr,*
Suhrkamp Taschenbuch 1069).

1980

Le Leçon de la Sainte-Victoire, Paris, Gallimard, coll. « Arcades », n° 3, 1985 (*Die Lehre der Sainte-Victoire,* Suhrkamp Taschenbuch 1070).

1981

Histoire d'enfant, Paris, Gallimard, 1983 (*Kindergeschichte*, Suhrkamp Taschenbuch 1071).
Par les villages, Paris, Gallimard, coll. « Le manteau d'Arlequin », 1983 (*Über die Dörfer*, Suhrkamp Taschenbuch 1072).

1982

L'Histoire du crayon, Paris, Gallimard, 1987 (*Die Geschichte des Bleistifts*, Suhrkamp Taschenbuch 1149).

1983

Le Chinois de la douleur, Paris, Gallimard, 1986 (*Der Chinese des Schmerzes*, Suhrkamp Taschenbuch 1339).
Images du recommencement, Paris, Bourgois, 1987 (*Phantasien der Wiederholung*, Suhrkamp Taschenbuch 1168).

1986

Le Recommencement, Paris, Gallimard, à paraître 1989, trad. fr. par Claude Porcell (*Die Wiederholung*, Suhrkamp Verlag, 1986).
Poème à la durée, Paris, Gallimard, 1987 (*Gedicht an die Dauer*, Bibliothek Suhrkamp, n° 930).

1987

Après-midi d'un écrivain, Paris, Gallimard, à paraître 1989 (*Nachmittag eines Schriftstellers*, Residenz Verlag, 1987).
L'Absence, Paris, Gallimard, à paraître 1990 (*Die Abwesenheit*, Suhrkamp Verlag, 1987).

Peter Handke et le cinéma

Chronique des événements courants (Chronik der laufenden Ereignisse) : première diffusion le 10 mai 1971 à la WDR, réalisation Peter Handke.
L'Angoisse du gardien de but au moment du penalty (Die Angst des Tormanns beim Elfmeter) : première diffusion le 29 février 1972 à la WDR, réalisation Wim Wenders.
Faux Mouvement (Falsche Bewegung) : production Solaris, film WDR 1974, réalisation Wim Wenders.
La Courte Lettre pour un long adieu (Der kurze Brief zum langen Abschield) : coproduction ZDF/SRG, 1976-1977,

réalisation Herbert Vesely, première diffusion le 27 novembre 1978.

La Femme gauchère (Die linkshändige Frau) : Road Movies Filmproduktion, Berlin, et Wim Wenders Filmproduktion, Munich, 1977, réalisation Peter Handke.

La Maladie de la mort (Das Mal des Todes) : 1985, réalisation Peter Handke.

Ville étrangère (d'après *L'Heure de la sensation vraie*) : production Plain Chant, 1988, réalisation Didier Goldschmidt.

Les Ailes du désir (Der Himmel über Berlin) : Road Movies Filmproduktion, Berlin, réalisation Wim Wenders.

Peter Handke traducteur

Percy Walker, *Der Kinogeher* : Francfort-sur-le-Main, 1980.

Florjan Lipŭs, *Der Zögling Tjaz* (Zusammen mit Helga Mracnikar), Suhrkamp Taschenbuch 993, éd. fr. Paris, Gallimard, 1987, trad. fr. de l'allemand de Peter Handke par Anne Gaudu.

Emmanuel Bove, *Meine Freunde,* Bibliothek Suhrkamp 744.
— *Armand,* Bibliothek Suhrkamp 792.

Francis Ponge, *Das Notizbuch vom Kiefernwald, La Mounine,* Bibliothek Suhrkamp 744.

Gustav Janus, *Gedichte,* Bibliothek Suhrkamp 820.

Georges-Arthur Golsdchmidt, *Der Spiegeltag,* Francfort-sur-le-Main, 1982.

René Char, *Rückkehr stromaufwärts,* Munich, 1984.

Emmanuel Bove, *Bécon-les-Bruyères,* Bibliothek Suhrkamp 872.

Percy Walker, *Der Idiot der Südens,* Francfort-sur-le-Main, 1985.

Patrick Modiano, *Eine Jugend,* Francfort-sur-le-Main, 1985.

Aischylos, *Prometheus, gefesselt.*

Ouvrages généraux sur Peter Handke

• En langue allemande :

Peter Handke, Text + Kritik, Zeitschrift für Literatur, études réunies par Heinz Ludwig Arnold, 24/24a, octobre 1969 et septembre 1976.

Über Peter Handke, études réunies par Michael Scharang, Suhrkamp SV n° 518, 1re éd. 1972.

Schultz Uwe, *Handke,* Friedrichs Dramatiker des Welttheaters, n° 67, Friedrich Verlag Velber Hanovre, 1re éd. octobre 1973.

Heintz Günther, *Peter Handke,* R. Oldenbourg, Analysen zur deutschen Sprache und Literatur, 1974.

Thuswaldner Werner, *Sprach – und Gattungsexperiment bei Peter Handke, Praxis und Theorie,* Salzbourg, 1976.
Mixner Manfred, *Peter Handke,* Kronberg, 1977.
Nägele Rainer, Voris Renate, *Peter Handke,* Autorenbücher 8, Munich, 1978. *Handke, Ansätze, Analysen, Anmerkungen,* études réunies par Manfred Jürgensen, Francke, Munich et Berne, 1979.
Pütz Peter, *Peter Handke,* Suhrkamp Taschenburg 854.
Durzak Manfred, *Peter Handke und die deutsche Gegenwartsliteratur,* Kohlhammer, Stuttgart, 1982.
Gabriel Norbert, *Peter Handke und Österreich,* Bouvier, Herbert Grundmann, Bonn, 1983.
Peter Handke, études réunies par Raimund Fellinger, Suhrkamp Taschenburg 2004.
Die Arbeit am Glück – Peter Handke, études réunies par Gerhard Melzer et Jale Tükel, Athenäum, Königstein, 1985. Hermann Lenz, Alfred Kolleritsch, Georges-Arthur Goldschmidt, *Rüdiger Wischenbart,* etc.

• En langue française :
Dossier Peter Handke dans *Art Press* n° 69, avril 1983.
Austriaca n° 16, mai 1983, Centre d'études et de recherches autrichiennes, université de Haute-Normandie, sous la dir. d'Erika Tunner.
Peter Handke, « Par les villages », Théâtre populaire romand, La Chaux-de-Fonds, 1984.
On pourra consulter l'Entretien paru dans *L'Autre Journal* n° 8, 16-22 avril 1986, ainsi que le n° 400, octobre 1987, des *Cahiers du cinéma* (rédacteur en chef : Wim Wenders), ou les deux livraisons du *Magazine littéraire* partiellement consacrées à Peter Handke, n°s 146 et 252/253.
« Autour de *Par les villages* », dossier établi par Armando Llamas, Les Ateliers contemporains, 1983.
Oracl, n° 21-22, automne 1987, consacré à Peter Handke.

Cette bibliographie a été établie d'après celle (complète) d'André-François Bernard, parue dans *Oracl,* que l'on aura intérêt à consulter.

Peter

H a n d k e

(Name des Inhabers)

Staatsbürgerschaft: Österreichisch

Ort und Datum der Geburt:
Altenmarkt, 6. 12. 1942

Wohnort: Markt Griffen, Alte 66

Ausgestellt am – 5. Juli 1961
Gültig bis – 4. Juli 1966

3   3
3

......nschaft Völkermarkt
(Ausstellende Behörde)

№ 670066

(Lichtbildstempel)

Chronologie

6 décembre 1942 Naissance à Griffen (Carinthie), Autriche), dans une famille en partie slovène (voir *la Leçon de la Sainte-Victoire*, récit de la vie du grand-père).

1944-1948 Vit à Berlin, puis retour à Griffen, où il fréquente l'école communale (voir *le Malheur indifférent*).

1954-1959 Interne dans une institution religieuse d'où il est renvoyé pour lectures interdites (Faulkner, Bernanos ; voir *Le Recommencement*).

1961-1965 Études de droit à Graz ; se destine en principe au barreau ; écrit *les Frelons,* publiés en 1964.

1965 Publication des pièces parlées.

1966 Publication de *Bienvenue au conseil d'administration,* que Handke a commencé à écrire dès 1963 ; *le Colporteur ;* se rend à Princeton, aux États-Unis, pour assister à la réunion du Groupe 47.

1967 Publication et premières représentations de *Gaspard ;* reçoit le prix Gerhart-Hauptmann.

1968 *Le Pupille veut devenir tuteur.*

1969 *L'Angoisse du gardien de but ;* premier départ et installation à Paris.

1970 Écrit à Paris *la Chronique des événements courants* et *la Chevauchée sur le lac de Constance ;* naissance de sa fille Amina.

1971 Déménagement pour Kronberg, dans les environs immédiats de Francfort ; voyage d'un mois à travers les États-Unis ; écrit *la Courte Lettre pour un long adieu.*

1972 Reçoit le prix Büchner ; écrit *le Malheur indifférent.*

1973 Écrit, à Kronberg, *Les gens déraisonnables sont en voie de disparition ;* prix Schiller ; revient à Paris, s'installe boulevard de Montmorency ; écrit *Faux Mouvement* pendant un séjour à Venise.

1974 Écrit à Paris, boulevard de Montmorency, *l'Heure de la sensation vraie.*

1976 *Le Femme gauchère.*

1977 Commence à rédiger les notes qui deviendront *le Poids du monde,* s'établit à Clamart (rue Cécille-Dinant), où il tourne, en octobre-novembre, son film *la Femme gauchère*. Clamart et Meudon sont décrits dans *Histoire d'enfant*. Beaucoup de notes du *Poids du monde* concernent cette banlieue (voir surtout *le Poème à la durée*).

1978 Voyage en Alaska, commence *Lent Retour*.

1979 Quitte Paris et s'installe à Salzbourg sur le Mönchsberg ; premier lauréat du prix Kafka.

1980 Publie *la Leçon de la Sainte-Victoire*.

1981 *Histoire d'enfant*, commence son activité de traducteur par la traduction de *Mes amis*, de Bove, et *The Moviegoer*, de Walker Percy.

1982 Vit sur le Mönchsberg et se consacre à la traduction : Ponge, Modiano, Florjan Lipuš, Gustav Janus, Georges-Arthur Goldschmidt ; rend visite à René Char à L'Isle-sur-la-Sorgue ; représentation de *Par les villages* au festival de Salzbourg.

1983 Membre du jury de la Mostra de Venise.

1984 Publie sa traduction des poèmes de René Char *Le chien de cœur, Dans la pluie giboyeuse, Aromates chasseurs, Retour amont*.

1985 Tourne le film *la Maladie de la mort*, d'après Marguerite Duras, avec Marie Colbin.

1986 Représentation de *Prométhée enchaîné*, d'Eschyle, traduit par Peter Handke, au festival de Salzbourg.

1987 Publie son conte *l'Absence, Poème à la durée*. Départ définitif de Salzbourg, long voyage à pied en Yougoslavie.

« Me demanderait-on où est pour moi le milieu du monde ?
Je nommerais la fontaine Sainte-Marie.
Et de fait, elle est au milieu,
car auprès d'elle chaque fois je fis halte
quand de Clamart, la banlieue,
j'allais à travers la forêt
dans la banlieue suivante, Meudon,
pour chercher l'enfant à l'école »...
Poème à la durée *(disposition modifiée).*

Table

Illustrations

Achevé d'imprimer par Maury-Imprimeur S.A. à Malesherbes.
Dépôt légal : octobre 1988. N° 10041 (C88/23443 P).

Heterick Memorial Library
Ohio Northern University

DUE	RETURNED	DUE	RETURNED
1.		13.	
2.		14.	
3.		15.	
4.		16.	
5.		17.	
6.		18.	
7.		19.	
8.		20.	
9.		21.	
10.		22.	
11.		23.	
12.		24.